コソボ 苦闘する親米国家

ユーゴサッカー最後の代表チームと臓器密売の現場を追う

木村元彦
KIMURA Yukihiko

集英社インターナショナル

コソボ　苦闘する親米国家

ユーゴサッカー最後の代表チームと臓器密売の現場を追う

コソボ 苦闘する親米国家　目次

装丁、本文デザイン　高橋 忍
カバーコラージュ　Q-TA
本文校正　髙松完子
地図製作　大橋昭一
取材協力　富永正明
　プレドラグ・ステポビッチ
　ドラガナ・シュピッツァ
　レコ・ディダ

写真にクレジット表記のないものはすべて著者撮影によるものです。

【主要登場人物】

イビツァ・オシム
ボスニア出身。ユーゴスラビアサッカー代表チームの最後の監督（90年イタリアW杯ベスト8）。その後、内戦が勃発。民族の分断にあらがいチームを欧州選手権予選突破に導く。06年、日本代表監督就任。22年に逝去。

ランコ・ポポビッチ
コソボ出身のセルビア人サッカー指導者。コソボの古都ペーチ出身。NATO空爆により、家族とともに生家から避難。オシム監督率いるシュトゥルム・グラーツの中心選手として活躍後、日本でも指導者として活躍。

シーモ・スパシッチ
コソボのセルビア人。「コソボ行方不明者家族会議」通称「１３００人協会」のリーダー。実兄が首都プリシュティナで拉致され、行方不明。ＵＮＭＩＫと米軍を敵視、ＫＬＡ出身者によるコソボの不当統治を指弾する。

カルラ・デル・ポンテ
スイス人。旧ユーゴスラビア国際戦犯法廷（ＩＣＴＹ）の国連検事（１９９９年〜２００７年）。圧力に屈せずコソボの拉致事件を調査し、臓器密売の実態を追及し、その実態を著書『追跡、戦争犯罪と私』で発表。

ハシム・タチ
コソボ解放軍（ＫＬＡ）の司令官出身で、２００８年〜14年、コソボ共和国第５代首相。２０１６年〜20年コソボ第５代大統領。ＫＬＡ司令官時代、民間人拉致、虐殺、強姦、麻薬密売、臓器密売などへの関与の嫌疑がかけられている。

アギム・チェク
ＫＬＡの司令官で２００６年〜08年にコソボの首相。デル・ポンテによりコソボにおける市民の拉致と殺人の責任者としてＩＣＴＹへの訴追の対象となる。

ラムシュ・ハラディナイ
ＫＬＡの指導者。２００４年〜05年、ＵＮＭＩＫ統治下のコソボで首相。独立後２０１７年〜20年にも首相。ＩＣＴＹより戦争犯罪の容疑で訴追、２００８年に無罪。２０１９年に臓器密売容疑で聴取を要求され首相辞任を表明。

ディック・マーティ
欧州評議会法務人権委員会委員として、デル・ポンテの著作を受けたかたちで、臓器密売の実態を詳細に調査。２０１０年「コソボにおける非人道的行為と臓器密貿易」を報告した。

ラドスラフカ・デスポトビッチ
ドキュメンタリー制作者。セルビアの独立系放送局B92の報道局に所属していた時代に、コソボ拉致被害者の臓器摘出の現場「黄色い家」の実態を、世界で初めて報道。

デヤン・サビチェビッチ
2004年から、モンテネグロサッカー協会会長。オシム監督率いる90年イタリアW杯ユーゴ代表のFW。その後、イタリアセリエA、ACミランの10番として活躍。

アブドゥラ・カトゥーチ
拉致被害者を殺して臓器密売のために臓器を摘出したとみられる、「黄色い家」の管理人。「俺はハシム・タチの仲間だ」と豪語。

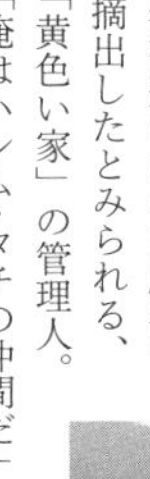

イスメット・アフメーティー
コソボのアルバニア人。コソボサッカー協会コミッショナー。ポポビッチの生家近くに住み、ポポビッチの父親の友人。祖父はナチスドイツに協力したスカンデルベグ部隊出身だと告白。

ファデル・ヴォークリ
コソボサッカー協会会長。コソボのアルバニア人。現役時代の1987年、ユーゴスラビアリーグでMVP。オシム監督時代にユーゴ代表にも選ばれている。「サッカーに民族は関係ない」とコソボ代表選手の民族融和に尽力する。2018年に逝去。

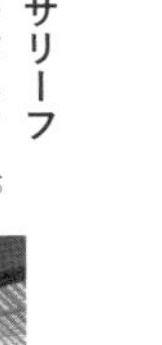

アズィス・サリーフ
コソボのアルバニア人。ボクサーとして、1984年ロス五輪の銅メダリスト。ロス五輪のユーゴ代表という縁で、ストイコビッチとは親友。ストイコビッチが兵役でコソボへの赴任が決まった際には、サリーフにコソボでの生活に関してアドバイスをもらったという仲。

ビリィビリィ・ソコリ
元コソボ代表監督。FIFA加盟前コソボの未承認国家時代、監督を引き受け、アルバニアのクラブチームとの交流からマッチメークを続け、代表チームの存続に尽力した。

アレクサンダル・ショーシッチ
コソボのセルビア人サッカー選手。アルバニア系のクラブでプレーをし、セルビア人初のコソボ代表を目指していたが、ドローン事件により民族の分断が激しくなり、その夢が絶たれた。

アフリム・トビャルラーニ
コソボのアルバニア人。FKプリシュティナの10番としてユーゴ代表にも選出されて

いたが、セルビアのコソボ自治権剥奪に抗議し、ユーゴリーグから脱退。ピザ屋を経営しながら独立リーグでプレー後、指導者の道を歩む。

プレドラグ・ヨービッチ
コソボのセルビア人集住地区生まれ。コソボサッカー協会のFIFA加盟申請にあたり、協会副会長に就任、民族融和を目指して、セルビア人が作るメトヒヤサッカー協会からコソボ協会への移籍のロビー活動に尽力。

アルベルト・ブニャーキ
コソボのアルバニア人。コソボ代表チームの初代監督。1991年のクロアチアの独立に伴う内戦を避け、スウェーデンに亡命。スウェーデンで選手、指導者として活動後、2009年コソボ代表監督に就任。

ミロト・ラシツァ
コソボのアルバニア人。アルバニア代表からコソボ代表に。オランダのフィテッセ時代、日本の太田宏介選手とチームメイト。その後、ヴェルダー・ブレーメンを経て、イングランドのノーリッジ・シティに。現在はガラタサライにレンタル。

太田宏介
東京都町田市出身。町田ゼルビア所属。FC東京、フィテッセ、名古屋グランパスなどを経て町田ゼルビア。フィテッセでラシツァとチームメイトだった。

(©PICS UNITED/AFLO)

ビザール・イメリ
コソボをアルバニアと合併させようという民族主義の政党「自己決定運動党」党首。急速に支持者を増やし、現在、コソボ議会で最大議席を持つ。首都プリシュティナでは与党の地位を確立。

ルルズィム・ペーチ
元駐スウェーデンのコソボ大使。コソボ政策調査研究所所長。「コソボのガンジー」ことイブラヒム・ルゴバの盟友として活動してきた穏健派。「自己決定運動党」のような一民族一国家の幻想を求める民族主義を批判。

グラニト・ジャカ
サッカースイス代表。両親はコソボからスイスのバーゼルに移民したアルバニア人。兄のタウラント・ジャカはアルバニア代表。W杯ロシア大会の対セルビア戦でゴールした際、双頭の鷲のジェスチャーでセルビアを挑発。

ジェルダン・シャキリ
サッカースイス代表。コソボ出身のアルバニア人。幼い頃両親とともにバーゼルに移住。ジャカ同様、ロシアW杯セルビア戦でのゴール後、双頭の鷲のポ

ーズを取る。22年カタールW杯でもセルビアと対戦、ゴールをあげた。

シャイップ・カンベーリ

コソボとの国境に近いセルビアの都市ブヤノバツ市長。セルビアに住むアルバニア人として、NATOのコソボ空爆20周年式典に参加する。ブヤノバツ市のコソボへの編入を望む。

エミーラ・スキラーチャ

プリシュティナの日刊紙「ゼーリ」の記者。アルバニア人。1999年、ラチャク村でのセルビア兵によるアルバニア系住民虐殺事件で、父親が犠牲となる。コソボからISILにアルバニア人が流出する現象を取材。

【用語解説】

NATO
(North Atlantic Treaty Organization)
北大西洋条約機構。欧州および北米の30カ国が加盟する政治的・軍事的同盟国。紛争に際し、外交的努力が実らなかった場合、単独で、または他国もしくは国際的機関と協力のもと、平和維持活動を行う軍事能力を持つ。

KLA
(Kosovo Liberation Army)
コソボ解放軍。1989年、セルビアによるコソボの自治権剝奪に反発し、アルバニア人が武力による独立を求めて設立した武装組織。98年、セルビアとKLAとの間で武力衝突が発生。99年、NATOがセルビアを空爆。

UNMIK
(United Nations Interim Administration Mission in Kosovo)
国連コソボ暫定統治機構。99年のNATOによるセルビア空爆後、正式なコソボ政府ができるまで、暫定的に行政を行うためのミッションとして、国連安保理により設立された組織。

KFOR
(Kosovo Force)
コソボ治安維持部隊。UNMIK設立に伴い、国連安保理により国連のコソボ暫定統治期間の治安維持を担う国際安全保障部隊。

UNHCR
(The Office of the United Nations High Commissioner for Refugees)
国連難民高等弁務官事務所。国連の難民支援機関。紛争や迫害により故郷を追われた難民・避難民を国際的に保護・支援し、難民問題解決を働きかける機関。

ICTY
(International Criminal Tribunal for the former Yugoslavia)
旧ユーゴスラビア国際戦犯法廷。1993年、国連安保理により設立された裁判所。91年以来、旧ユーゴにおいて集団殺害、戦争犯罪、人道に対する罪を犯した人々を訴追する。

ヨーロッパの火薬庫バルカン半島

旧ユーゴスラビア、アルバニア、ギリシャを含むバルカン半島は、
「ヨーロッパの火薬庫」と呼ばれている。

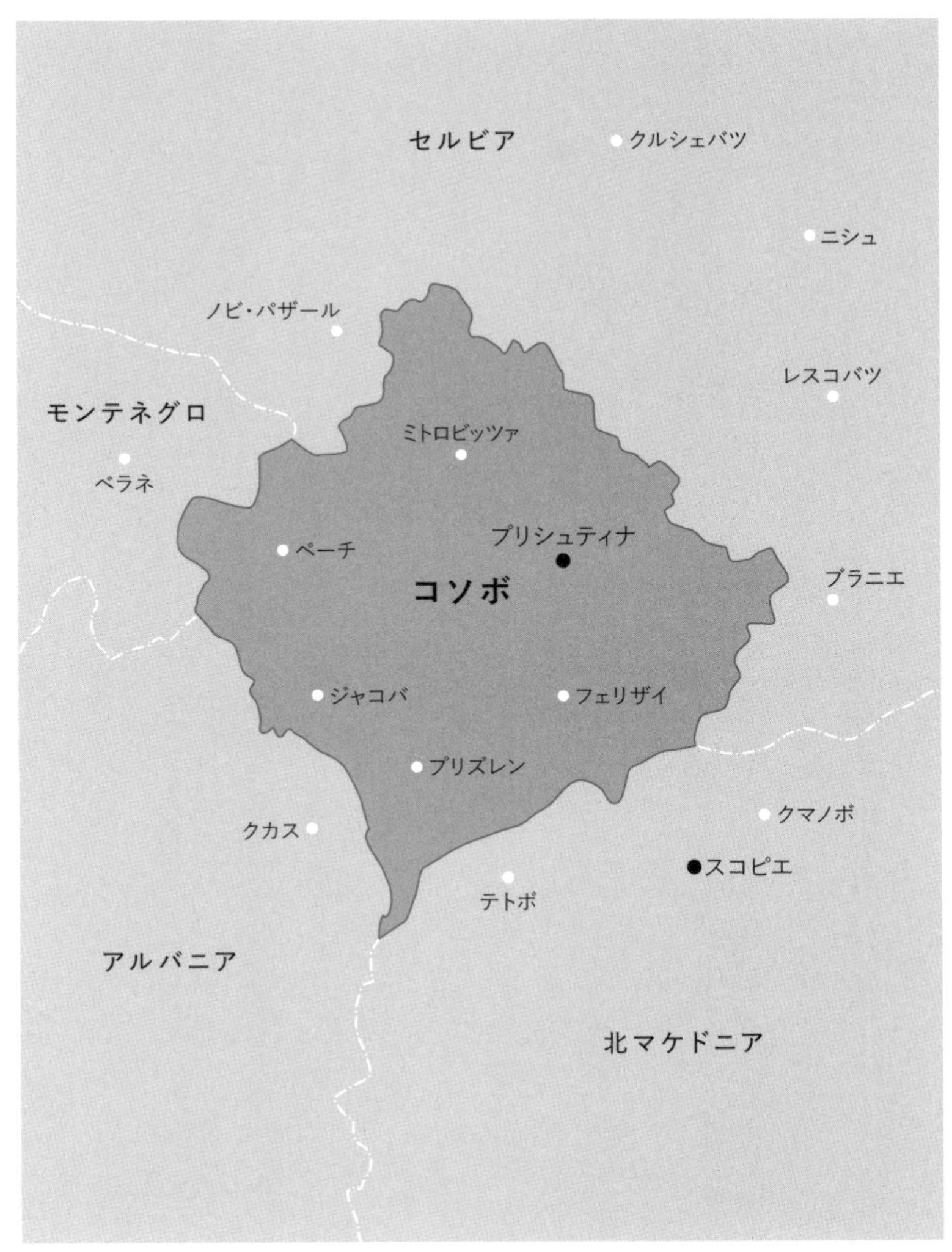

火薬庫に今も火種が残るコソボ

セルビア人にとっての聖地コソボ。NATOの空爆とその後ろ盾により、
ユーゴスラビア最後の独立国となった。

コソボに隣接するアルバニア

コソボの与党「自己決定運動党」は「本国」アルバニアとの合併を公約として打ち出している。

コソボ独立により膨らんだ野望、大アルバニア地図

コソボ独立により吹き出したアルバニア・ナショナリズム。バルカン半島のアルバニア人の分布を根拠に、ナショナリストたちがアルバニアの本来の領土として主張する領土が大アルバニアだ。

オーストリア
ブダペスト
ハンガリー
スロベニア
リュブリャナ
ザグレブ
ルーマニア
クロアチア
ベオグラード
ボスニア・
ヘルツェゴビナ
ブカレスト
セルビア
サラエボ
ブルガリア
モンテ
ネグロ
プリシュティナ
ソフィア
コソボ
ポドゴリッツァ
ローマ
スコピエ
イタリア
北マケドニア
ティラナ
アルバニア
ギリシャ
アテネ
地　中　海

旧ユーゴスラビア

序章　ＮＡＴＯ空爆後　放置された民族浄化

バルカン半島に位置する旧ユーゴスラビア地域は、極東アジアとの距離的な遠さもさることながら、文化的、宗教的な馴染みも薄い。「ヨーロッパの火薬庫」「民族の坩堝」など、ときに派手派手しいキャッチフレーズこそ先行すれど、なかなかにイメージすら湧かない。そんなこの地域の国や民族、さらには紛争についてのことを日本の読者に伝える上で、サッカーは最も効果的なメディアと言えた。身近な外交官よろしく、あまりにも優秀なフットボーラーたちが彼の地からは、来日していたからである。

1990年代は、ユーゴ紛争の解釈において、米国のルーダー・フィン社（いわゆる戦争広告代理店）と大手テレビ局が、ボスニア・ヘルツェゴビナ（以下ボスニア）政府をクライアントとして作りあげた「セルビア勢力だけが一方的な悪者」という「セルビア悪玉論」が世界的に流通したために、酷いセルビアヘイトが巻き起こっていた。しかし、名古屋グランパスで選手、監督として大きな結果をもたらしたセルビア人「ピクシー（＝妖精）」ことドラガン・ストイコビッチ（現セルビア代表監督）の半生をなぞることで、それに少なからず抗うことができた。Ｊリーグにおいて降格争いの常連だったジェフ千葉にナビスコカップで初の戴冠をもたらしたイビツァ・オシム（元日本代表監督）の生き様は、民族が融和していた古き良きユーゴスラビアの理念を体現していた。そしてユーゴ代表監督であった彼を苦しめた戦争が、いかにしてそのチームを引き裂いていったかの検証は、民族主義を煽った政治によって分断と虐殺がもたらされたボスニア紛争の本質を見る上で有効だった。

ユーゴスラビアから最後に独立をしたコソボについて記す本書もそのやり方を最初に持ってこようと思う。ちなみにルーダー・フィン社を描いた書籍『戦争広告代理店』（高木徹 著）の最終章には、同社のジム・ハーフ国際政治局長がコソボ政府と首都プリシュティナで接触した様子が描写されている（コソボ紛争の情報戦においても広告代理店がやはり動いていたのかと、ルーダー・フィン社を退いた後のジム・ハーフに取材を申し込んだが、「自分にとって不利益なインタビューになると思われるので受けられない」と断りのメールが戻ってきた）。

２０２２年5月1日にイビツァ・オシムが逝去した。その4年前、18年のW杯ロシア大会のヨーロッパからの出場国がすべて出そろったときに、今思えば、オシムが遺言のように語った言葉を思い出す。

「今回は崩壊した旧ユーゴスラビアを構成していた共和国のほとんどのチームにロシアW杯出場の可能性があったと思っている。結果的に予選を勝ち抜いたのは、セルビア（グループD・1位）とクロアチア（グループI・2位）だけだったが、ボスニア（グループH・3位）もスロベニア（グループF・4位）もモンテネグロ（グループE・3位）もそれに値するチームだった。マケドニアはグループGで5位だったが、スペインとイタリアと同じ組だったからな。健闘していた」

このマケドニアは２０１９年2月に北マケドニアに国名を変更している。理由はギリシャとの関係である。アレキサンダー大王の古代より続くマケドニアという呼称地域は、実は主にギリシャ国内にその大半を属していて、ギリシャ政府はマケドニアとは自国のことであると主張し続けてきた。さらにはマケドニア政府がその国名を利用して領土拡大することを警戒して、経済制裁まで科して名前の変更を迫っていたのである。あくまでも国境を変えさせないための国名変更だから、北マケドニアはあっても南マケドニアは存在しない、という一見不自然な事態になった。ことほど左様に旧ユーゴ地域は入り組んでいて複雑である。

「とにかくこの6つの国全部がワールドカップに出場したら、神話になったのにな」

生前この話をしたのは、オシムがサラエボで愛用する「ポドリポム(=菩提樹)」というレストランである。脳梗塞で左手が不自由になりながらも、世界中のサッカーを凝視し続けてきた男は、食後のトルコ コーヒーを口に運びながら、少し誇らしげに言った。

「サッカーの神は才能を持ったサッカー選手をユーゴスラビアに集めたのかもしれないな」

神に感謝する一方でこう続けた。

「そして、神はむごいことに、その素晴らしい才能をユーゴから分断するように、あらかじめ決めていたのだろうか」

多民族国家ユーゴに属した6つの共和国は、90年代からそれぞれに分離独立をしていったが、その直前、ひとつの国であった時代には栄華を誇った。87年のワールドユース大会では20歳以下の国家代表チームが優勝し、91年のトヨタカップも首都のクラブ、レッドスター・ベオグラードが制して世界一になっている。前者は主にクロアチア人、後者はセルビア人の選手で構成されていた。両方に属していたのは、クロアチア人の父とセルビア人の母を持つ(つまりダブルの)ロベルト・プロシネチキくらいで、あとは選手が重なることもない別チーム。つまり、世界チャンピオンのチームが実質２つ国内に存在したことになる。国が崩壊していなければ、１９９０年代の最強はブラジルでもアルゼンチンでもドイツでもフランスでもなくユーゴだったというサッカー記者は少なくない。ユーゴ最後の代表監督であったオシムの言葉には、そんなきらびやかな才能集団の夢があと一歩で花開くところで壊されたことへの口惜しさが滲んでいた。

「確かに」と、私もコーヒーを飲みながら頷いた。６つに分かれた国、それぞれすべてがワールドカップに出場したら、当然それは偉大な神話になったであろう。

サッカーの競技人口も市場も激減した国々が、ケレン味たっぷりなユーゴサッカーのＤＮＡを継承し、ヨーロッパの列強と戦って、Ｗ杯に出場する。その可能性は今後も有り続けるだろうし、どこかの国が大きな結果（Ｗ杯優勝）をもたらす可能性も強い。何と言ってもクロアチアは、人口たった４００万人の小国ながら、ロシア大会で準優勝しているのだから。若いサッカーファンも、かつて存在したユーゴスラビアという国がいかにフットボールネーションであったのかをこれからも思い知らされることだろう。

ひとつ気になるのが、オシムが、サッカーの神の配材をつぶやいたこの（２０１７年）時点で旧ユーゴに所属していながら唯一結果を出せていない国、未勝利の国があったことだ。それは２００８年にセルビアからの独立を宣言したコソボである。全人口の大多数をアルバニア人が占めるコソボは、16年にようやく念願のＦＩＦＡ加盟を果たしてロシア大会を目指した。初出場の新興国はモチベーションが上がるものだが、グループＩで初戦のフィンランドと引き分けたのみで、残り9試合は全敗。勝ち点1で最下位に甘んじた。

いったい、敗因は何なのか。旧ユーゴスラビアからの最後の独立国、コソボの低迷の理由はどこにあるのか。

決してタレント不足ではない。オシムも同意していた。「コソボ出身でクオリティの高い選手は少なくないのだ」と。

ただ、このロシア大会においてスイス代表で活躍したジャカとシャキリに象徴されるように、コソボをルーツに持つ選手の多くがコソボ代表を選択しないのである。サッカーにおけるインフラの整備が程遠く、移民や難民の2世、3世の選手は居住する西ヨーロッパの国の代表を選んでしまう。そしてもう一つ、これが何よりも大きいのだが、コソボという国のアイデンティティの問題がある。コソボ人という概念がまったく成立していないのだ。

理由を説明するためにここでコソボの国旗について触れておきたい。そのデザインはヨーロッパの色である青地の上に、コソボの地形（広さにすれば岐阜県ほどの面積である）が金地で施され、そして上部には白い6つの星が施されている。この星はコソボに居住する6つの民族、アルバニア人、セルビア人、トルコ人、ゴラン人、ボシュニャク人、そしてロマを意味している。このシンボルから見ても分かるようにコソボは多民族国家であり、その理念の下に誕生したはずであった。

元来、代表戦は国のために戦うという意志が大きな推進力になるのだが、２００８年2月に建国したはずのコソボの各民族は現在に至っても同じひとつの方向に向いていない。

ボスニアがかつてムスリム、クロアチア、セルビアの3つの民族が殺し合いをさせられた忌まわしい歴史を経て、統一したチームとしてブラジルW杯に出場したこととは対照的である。

コソボにおいて人口比率の約9割を占める多数派のアルバニア人のほとんどは、自分はコソボ人などではなく、アルバニア人だと思っている。少数派のセルビア人もまた、自分はセルビア人だと固く自認している。そもそも彼らは母国セルビアからのコソボの独立には、未だに強く反対している。

かつてはセルビア内での自治権を求めていたコソボの多くのアルバニア人の要求は、民族主義の沸騰と共に自治州への昇格から、独立に向かい、現在に至っては、本国であるアルバニアとの合併を主張するまでに至った。一方でセルビア人たちにとってコソボは、中世より栄えたセルビア正教の聖地であり、民族発祥のかけがえのない土地として、独立を到底認めるわけにはいかない。ましてやアルバニアとの合併など、言語道断という意志である。

コソボの独立の端緒は1999年3月に米国がNATO軍を主導してセルビア全土に空爆を行ったことである。ではその空爆はいかにして行われたのか。

説明が前後するが、ここで簡単に経緯を振り返っておきたい。かつてコソボはユーゴにおけるアルバニア人たちの自治州であった。1980年代になると、少数派のセルビア人に対する迫害運動が多発した。この事態にセルビアのミロシェビッチ大統領が、自治権を剝奪したのである。公教育から母語を奪われたアルバニア人たちの反発は大きかった。非暴力主義で「コソボのガンジー」と呼ばれたリーダー、イブラヒム・ルゴバを大統領としての新政府樹立（未承認国家）を宣言する。他方、ルゴバと異なって武力による独立を目指すKLA（コソボ解放軍）はゲリラ活動を展開し、セルビア治安部隊との内戦状態に陥った。

99年1月にはアルバニア民間人に対する殺害が起きた。「ラチャク村の虐殺」である。そこで、米英独仏伊ロの連合グループによる調停が行われた。しかし、この調停をセルビア側は拒否する。結果、

「セルビアのミロシェビッチ大統領によるコソボのアルバニア人に対する迫害を止めるため」という大義の下に米軍主導の軍事行動が展開されたのである。問題はその調停案の中身であった。かつてストイコビッチは、コソボ問題についての和平交渉が、フランスのランブイエで行われた際、米国から出された最終案に対して、「セルビア人なら、5歳（当時）の私の息子のマルコでもこの最終案に反対するだろう」と発言した。起案された最終案には「付帯文書B」という項目があり、それは米国がユーゴ全土においてNATO軍の駐留と自由な軍事行動と訴追と課税の免除を求めたものであった。祖国を実質的な米国の植民地にすることは許されない、という叫びを、5歳の息子でも、とたとえたのである。当然ながら和平交渉は決裂し、NATOの空爆が開始された。いわば軍事介入有りきの調停案であった。ロシアがこのプロセスを見てNATOへの警戒を高めたことは言うまでもない。

当時、日本大使館も「この空爆は不当である」と外務省本省に打電していたが、「重要なのは日米安保である」との返信がきたという。

この空爆によってセルビア治安部隊はコソボから撤退。以降、あれだけマスメディアを賑わしていた彼の地に対する報道がぴたりと止んでしまった。それからは、何の人道的瑕疵も事件もなく平穏な日々が刻まれているかのように、世上の報道にコソボの文字は見当たらない。果たしてそうなのか。世界中のニュースが日常的に流される昨今では、言い換えればニュースが流れなければ、紛争も殺人も弾圧もなかったことにされてしまう。何がコソボで起こっていたのか。その空白を埋めていきたい。

時計の針はドイツW杯の年、オシムがまだ元気に日本代表監督をしていた2006年に巻き戻る。

第1章 コソボのマイノリティ 2006年～2009年

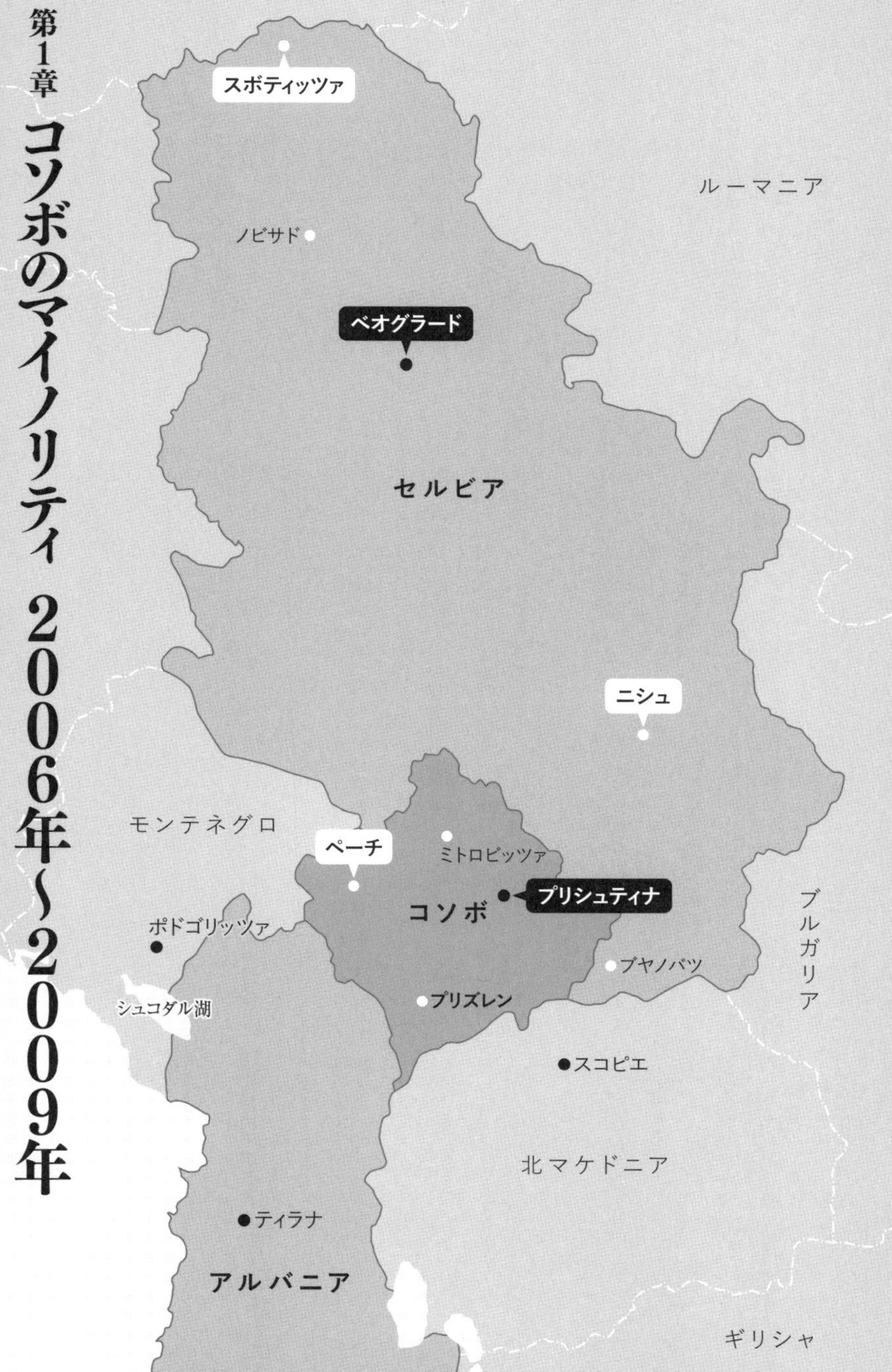

1　二度と戻れぬ生家を訪ねて

ペーチから来た男　ランコ・ポポビッチ

ランコ・ポポビッチの存在を初めて知ったのは、2006年の年末に祖母井秀隆（元ジェフ千葉GM）から、話を聞いたのがきっかけだった。祖母井は、知る人ぞ知るオシムを日本に招聘した人物で、大阪体育大で指導をしていた頃から、堪能なドイツ語を駆使して東欧のサッカー人脈を構築していた。ゆえに、情報の精度は極めて高い。日本代表監督に就任して5カ月のオシムを交え、浦安の中華料理屋「泰興」で行った忘年会の席上で、その祖母井がビールを飲みながら唐突に言った。「そう言えば、サンフレッチェ広島のコーチのポポビッチさんはコソボの生まれやそうですよ」「えっ！　名前からしてセルビア人ですよね？」「そうですね。シュトゥルム・グラーツで監督をしていた頃のオシムさんの教え子ですけど、かなりしんどい苦労されたというのをうかがっています」

コソボ出身のセルビア人サッカー指導者がついにJリーグに来たのかと、サンドウィッチマンのコント並みに興奮した記憶がある。Jリーグにはストイコビッチやビニッチ（ともに名古屋グランパス）をはじめ多くのセルビア人プレーヤーがやって来たが、彼ら本国のセルビア同胞とは大きく背景が異なる。少し説明を施そう。

１９９９年のＮＡＴＯ軍によるユーゴ空爆以後、コソボにおける民族間（セルビア人とアルバニア人）のパワーバランスは反転した。

米国の主張によってセルビア治安部隊が撤退すると、今度は元々マイノリティであるセルビア人が、彼の地で「民族浄化」の標的になっていった。公正な統治と治安維持を目的とした国際機関であるＵＮＭＩＫ（国連コソボ暫定統治機構）やＫＦＯＲ（ＮＡＴＯ主体のコソボ治安維持部隊）の監視下にあるにもかかわらず、そのほとんどがアルバニア系武装組織による拉致や殺害の恐怖に晒されて居住地を追われているのが現実であった。空爆前、州都プリシュティナに約20万人もいたセルビア人は、難民としての流出を余儀なくされ、05年に居留をＵＮＭＩＫにカウントされたのはたったの38人であった。追われたのはほとんどが先住していた民間人である。

そして私が調べた限り、３０００人以上の拉致被害者が出ていた。ショッキングなことに、新コソボ政府の中核にいるＫＬＡ（コソボ解放軍）の一派によって拉致されたセルビア人の多くは、アルバニア本国で内臓を抜かれて殺され、臓器移植のビジネスの犠牲者になっていたことが、判明していく（詳しくは第2章で述べる）。コソボで暮らすセルビア人たちからすれば、行政の長が、そのことを謝罪も検証もせずにまだ権力の座にいることになる。新コソボ政府タチ首相は、もともとＫＬＡの幹部であった。序章でも述べたが、コソボには非暴力での独立を主張し、民心も得て初代大統領とされていた「コソボのガンジー」ことイブラヒム・ルゴバという人物がいた。ところが米国は、コソボを統治するにあたって、そのルゴバを登用せず、山村ゲリラであったこのＫＬＡと組んだのである。

私は98年に幾度かＫＬＡが支配するマレーシャボの山岳基地に入って司令官を取材したが、その軍事行動の最終目的は、至ってシンプルで乱暴なものであった。何度も聞いたのは、「武力によるアルバニア人によるアルバニア人のためのコソボ独立」。アルバニア本国の他に、もうひとつセルビア内に純然たるアルバニア民族主義国家を作ろうというものである。ルゴバが、少なからず文民統制と他民族との共生を謳っていたのとは対照的であった。このことはコソボのマイノリティからすれば脅威である。NATO空爆後に新生コソボのトップに立った者が、ミロシェビッチ大統領によって奪われたアルバニア人の権利を取り戻した上で、民族融和を図るといった穏健派であれば、共に国作りにも参加できようが、その地位に就いたのは、融和よりも分断と排斥を唱えた武装組織のリーダーなのである。かつて警官をテロ行為で殺害し、資金調達のために覚せい剤やコカインを密売していたKLAの元司令官が大国アメリカのお墨付きを受けて首相になった。はなから公正な法治統治を期待はできない。そうした懸念が現実となる象徴的な事件が、04年3月に起こった。

コソボ内におけるセルビア人集落やセルビア正教教会がアルバニア人暴徒によって焼き討ちになった、いわゆる「3月暴動」である。発端は「コソボ南部のチャバル村のアルバニア人の少年がセルビア人に犬をけしかけられてイバル川で溺れ死んだ」、という噂が乱れ飛んだことであった。ところが、これがデマであった。私はこの亡くなった少年ゾン・デリーム（当時13歳）の父親に直接会い、事故現場の川にも向かった。水深は30㎝、流れも穏やかで到底溺れるような環境にはなく、地元警察もUNMIKも犬をけしかけられての溺死という事実認定はしていなかった。父もまた「罪を犯していないセルビア人はコソボに戻ってくれれば良いし、その扉はいつも開けておくべきだ」と語っていた。しかし、一度流れたフェイクニュースは瞬く間に広がり、扇動されたアルバニア人群衆によってコソボ全土でセルビア人やロマに対する集団暴力行為が起きた。警察もKFORも鎮圧には至らず、セルビア人居住地域や12世紀から残る歴史的なセルビア正教の宗教施設が、暴徒によって破壊された。UNH

ＣＲ（国連難民高等弁務官事務所）によれば、民家９３０棟が燃やされ、約４５００人が避難民になっている。平和とは、対峙するマジョリティの民族に対してのみ適用される概念なのだろうか。

当時の彼らコソボのセルビア人は、拉致に怯えながらも、飛び地のようなエンクレイブ（民族集住地域）に暮らすか、あるいは自発的に逃げ出して難民となるしかなかった。私は、エンクレイブであるチャグラビッツァに逃れて来た人々から「あの3月暴動で警察があてにならないことが分かった。もうこの土地には共存できる場所がない」としばしば絶望的な表情で訴えられた。

「コソボ出身のセルビア人」。それは国際社会に翻弄され、セルビア本国からも見捨てられ、現在、先祖代々生まれ育った地には戻れぬ宿命を押し付けられたディアスポラとも言えようか。

しかも調べてみたら、ポポビッチは古都ペーチ（アルバニア名ペーヤ）の出身であった。この都市は13世紀に作られたセルビア総主教修道院のあるいわばセルビアの聖地である。かつてボルドーでプレーしていたモンテネグロ人のニーシャ・サベリッチは、「パリのノートルダム寺院はカソリック教徒の文化の中心地だろう。同じようにペーチの修道院はセルビア人の魂の故郷だ」と熱く語っていた。裏を返せば、すなわちそこは、ＫＬＡにとって最も憎悪の的となる地域だった。事実、この世界遺産（２００６年6月登録）の周辺はＫＦＯＲの警備をあざ笑うかのように、迫撃砲や手榴弾が頻繁に撃ち込まれるという事態が勃発していた。先述した3月暴動では大きな被害を出し、聖イオアン堂と聖ニコライ堂が破壊されている。セルビア総主教修道院はＫＦＯＲ所属のイタリア軍が守っていたので無事であったが、標的にされる可能性は高く、現在はユネスコの世界危機遺産リストに指定されている。

「あのペーチから来た男……」

泰興名物の紫蘇（しそ）入り餃子を紹興酒で流し込みながら、ランコ・ポポビッチの名前を心に留めた。

07年のJリーグが開幕した後、6月にコソボ取材を敢行することにした私は、ひとつのアイデアを思いついて、セルビア大使館にコンタクトを取った。現場に赴くにあたり、ポポビッチの生家に行ってみようと考えたので、彼に会えないかと問い合わせたのである。コソボにおいて憎悪の対象とされたセルビア人は、今は彼の地を自由に往来することすらできない。私は北品川の大使館で旧知のスネジャナ・ヤンコビッチ領事に会った。スネジャナは外務省が主催した各国大使館の日本語スピーチコンテストで優勝した才媛で、夏目漱石を世界で初めてセルビア語に翻訳した人物だ。

「自分は日本人なので、セルビア人と違って何の危険もなくペーチにも行くことができる。だから、故郷に帰ることのできない彼の生まれ育った家が現在、どうなっているのか、見てくることも撮影してくることもできる。そんなことでルーツを追われた人物の心のサポートができればと思うのだが、どうだろうか?」

ここまで言って大使館員と語る上では、距離もおかねばと思った。

「ただスネジャナも知っているように、自分は日本人の記者として『コソボがセルビアのもの』とは言うつもりはない。セルビア政府の主張がそうであっても、自分の立場は『コソボはコソボに暮らすすべての民族のもの』だ」。私はNATOが空爆する前に行われたミロシェビッチ政権によるアルバニア人への人権侵害についてもレポートを出してきたし、ラチャク村の民間人に対する虐殺事件も現場を見て一報を出した。「その虐殺写真を、この大使館でセルビア大使に見せて伝えたのは覚えているね?」。大使館を通しての取材であってもそれで忖度はしない。思えば日本のホロコースト否定論者(=歴史修正主義者)は大使にゴマをすり、反米の視点からミロシェビッチによる弾圧さえ否定していた。これこそセルビアに対する敬意を欠いた行為だった。

聡明なスネジャナはすぐに理解した。

「もちろん。私だって、セルビアの治安部隊がかつてコソボでアルバニア人を殺害していたという事実があるのなら、それを知らなければいけないと思うし、セルビア市民に知らせないといけないと思っています」

彼女は外交官ではあるが、盲目的なセルビア民族主義者ではない。漱石や安部公房、吉本ばななに惹かれるというこの文学者は、何が自民族にとって重要かを知っている。「木村さんがペーチでポポビッチさんの家に行って彼に現状を知らせるというのは、別にセルビア政府のプロパガンダにはなりませんよ（笑）。それは良いアイデアですけれどね。でも気をつけて行って下さい」

文化担当官でもあるスネジャナが早速、連絡を取ってくれたところ、ポポビッチはこの申し出をとても喜んでいるという。日程を確認すると、サンフレッチェ広島は5月19日にジェフ千葉との対戦予定があった。まずは5月19日のフクアリスタジアム（フクダ電子アリーナ）での試合後にミックスゾーンで会おうとなった。

©MarcaMedia／アフロ

コソボのセルビア人、ランコ・ポポビッチ。聖地ペーチの出身である。

この試合はボスニア人監督（＝千葉アマル・オシム）とセルビア人監督（＝広島ミシャ・ペトロビッチ）による対戦でもあった。結果はウェズレイのハットトリックで、3対1でサンフレッチェ広島が勝った。

ペトロビッチの監督会見を終えて、ミックスゾーンで待っていると、ポポが姿を見せた。視線が合った。名乗る間もなく、握手の右手が差し出されてきた。

初対面での印象は、何とポジティブな人物かというものだった。少なくとも私が過去取材したコソボを追われたセルビア人には、どこか影を持った目とシニカルな口調が付いて回っていた。サッカー選手で言えば、州都プリシュティナ出身でユーロ2000をユーゴスラビア代表として戦ったゴラン・ジョロビッチ（当時セルタ・デ・ヴィーゴ）がそうだった。ジョロビッチの両親もまた、99年にトランク一つでベオグラードに難民として逃れて来た過去を持つ。多分に思慮深い性格もあるのだろうが、「忌まわしい思い出」としか言わず、多くを語らなかった。

ところが、ペーチからやって来た男は、我が身に降りかかったそんな運命さえも呪わず、高いテンションでブラボー！ と叫んだ。

「そうかい、故郷に行ってくれるのかい？ こんな嬉しいことはないよ。自分のことを覚えている人がいたら、ぜひよろしく伝えてくれ」

生まれ育った家の住所をさらさらとマッチデープログラムに書くと私に手渡してきた。そこには「Djurdjine Jovicevic 53A Pec」と記されてあった。「かたときも忘れたことがない。今でも思い出す」と言って小さく首を振った。

2007年6月15日ベオグラード

フクダ電子アリーナでのポポビッチとの出会いからほぼ1カ月後、セルビアの首都ベオグラードに飛んだ。この日、6月15日12時からアメリカ大使館前でコソボの拉致被害者家族による抗議集会が行われるということを聞きつけ、私は星条旗の翻る公邸前に、午前中からスタンバイしていた。

なぜ、コソボで拉致された被害者の抗議行動を米国大使館前で行うのか？

5日前の6月11日、ジョージ・ブッシュ米国大統領がアメリカの指導者として初めてアルバニア本国への訪問を果たしていた。そこでブッシュは「アメリカはコソボの独立を支援する。近い将来、独立は実現する」と公式に発言し、大歓迎を受けていたのである。8年前に空爆を指揮したのが、民主党のビル・クリントン大統領であるから、これはもう共和党も民主党も関係なく、米国の一貫した外交姿勢と言えた。ここまで米国がコソボに固執するのは、州都プリシュティナの南に位置するボンドスティールの地に、米軍基地を建設するのが目的だったからとも言われている。中東と欧州の狭間にあるこの地域は軍事拠点としても重要であり、米国はＫＬＡ出身者をトップに据えたコソボ政府との蜜月関係を築くことで、コソボ国内での自由な軍事行動を空爆後の99年6月から手に入れている。考えてみれば矛盾がある。コソボのアルバニア人たちは、民族自決を叫んでセルビアからの独立を熱望したのだが、外国（＝米国）の軍隊を駐留させていることには、いささかの違和感も呈さずにこれを歓迎し続けている。アルバニア人の信奉する宗教はイスラム教であるが、２００1年に9・11のニューヨークで同時多発テロが起こり、米国がイラクやアフガニスタンに戦争を仕掛け、イスラム社会との関係が険悪になっても、コソボは世界で一番の親米国である。それもまた、この「世界の警察」を自認する大国が基地と引き換えに独立の後ろ盾になってくれることが大きな理由だ。

良く晴れた初夏のこの日、米国大使館前は、正午が近づくと騒然たる雰囲気に包まれていった。参加した拉致被害者家族たちはその数、約50人ほど。ほとんどが、コソボから逃れて来たセルビア人避難民である。手に手に英語で書かれたプラカードを持つ。「父を、母を返して欲しい」「死ぬまであなたを探し続ける」「忘れない、忘れさせない」。スローガンの横には行方不明となった肉親の写真が貼りつけられている。家族写真からの抜き出しであろう、笑顔のものが多い。フィルムの撮影であり、すでに何度も焼き増しをしたためか、劣化も激しいものであったが、その落差が悲劇性をさらに際立たせている。

つるつるに剃り上げたスキンヘッドに黒いTシャツを着た見覚えのあるリーダーがシュプレヒコールを上げる。「コソボ・ネダモ!」「コソボ・ネダモ!」コソボは渡さない。彼の名前はシーモ・スパシッチという。実兄をプリシュティナで拉致されている。拉致被害者の家族がその真相究明を求めて作った団体「コソボ行方不明者家族会議」、通称「1300人協会」の会長である。なぜ1300人なのか? 2001年に結成された段階での行方不明者の数からとったものである。しかし、結成後も拉致被害者の数は増え続け、2007年のこの時点ではすでに3000人を超えていた。

こちらの姿を認めた旧知のスパシッチは、駆け寄ってくると、拉致被害に対して消極的なセルビア政府への不満を爆発させた。「お前も知っているだろ? 政府は、うちの組織の名前も替えさせたのだ」。それは重要な変更だった。「行方不明者家族会議」から「コソボ誘拐および殺害セルビア人遺族会議」に看板を変えられたのだ。スパシッチたちが頼ってきたお上は、実質的に拉致問題を放棄したとも言える。「行方不明の家族を捜索してくれと言い続けている俺たちは遺族だとよ! 兄貴が消息を閉ざしてから、9年経つが、もう殺されているからあきらめろ、という政府からの宣告だ。俺たちコソボのセルビア難民は、国から棄てられたんだ」

セルビア政府はコソボからの難民に関して、極めて冷淡である。文化的、宗教的なバックボーンから聖地であるコソボの領土は絶対に渡したくはないが、大量の難民を受け入れる余裕は本国にもない。ボリス・タディッチ大統領の民主党政権は国際協調を念頭におくためにUNMIKに拉致問題を強硬

ベオグラードの米国大使館前でデモを行うコソボのセルビア人拉致被害者の家族たち。最後列の高い位置に立つのがリーダーのシーモ・スパシッチ。

に主張することはしないのだ。スパシッチが作ったTシャツにはこう書かれている。「ZASTO CUTIS SRBIO」（セルビアよ、なぜ黙っている）

　この沈黙の理由についてスキンヘッドのリーダーはこう断じる。「たかが、EU加盟のためにコソボのセルビア人を棄てようとしているのが、タディッチの本音だ。そんなことは許してたまるものか」。怒鳴り上げると、星条旗の下でせわしなく挑発的なポーズを繰り返す。

　取材をし続けてきて明らかになったが、「コソボ誘拐および殺害セルビア人遺族会議」には運動方針を巡って強硬と穏健、2つの派が存在した。外国人メディアに対して米国とKLA出身者が支配するコソボの不公正統治の非道を訴え、自身のアピールを繰り返すエキセントリックなスパシッチは、民族色の強い強硬派である。彼はさかんに私に向かって、「俺を広島、長崎に連れて行ってスピーチをさせろ」と売り込んできた。日本で反米の同志を募りたいというのだ。「なぜ日本人は原爆を落とされ、米軍基地まで作られて黙っている。故郷を植民地にされてたまるか。俺に連帯の意志を伝えさせてくれ」

　対して、「セルビア兵に殺されたアルバニア人の遺族とも痛みを分かち合いたい、そのためにも拉致の真実を知らせて欲しい、愛する家族が殺害されているのであれば、どこでどう殺害されたのかを知りたい」と、ＵＮＭＩＫと米軍を敵視せずに、真相究明の申し入れを行っている穏健派の人々がいる。

　大使館の門扉に正対する位置で、両親の写真を捧げ持って立っていた女性、グラディッツァ・オイラニッチはこの穏健派だ。彼女は99年に両親を拉致された。まだ何の消息もない。

「両親は家にいるところを、何の罪もないのに連れ去られました。国連軍（ＫＦＯＲ）が入ってくると聞いて、安全だと思っていたのです。しかし、実態は違っていました。ＫＦＯＲは何もしてくれませんでした。これはまさに『民族浄化』です。両親に関する情報はまだ何ひとつありません。だからこそ、真相を知りたいのです」

「コソボ誘拐および殺害セルビア人遺族会議」のオフィスには、定期的にＵＮＭＩＫから、行方不明者の消息についてのリストが届けられる。そこには死亡が確認された者の名前がならんでいるが、どこで遺体が発見されたのか、死因は何であるのかの記述がない。行方不明者家族会議時代、同会議の事務局長をしていた女性オリベラ・ブラディミールは、夫の名前がそこにあることを職務上、真っ先に見た。偶然その場にいた私にショックを隠しながら、こう呟いた。

「ある日、突然、あなたの夫は死んでいましたと一方的に告げられて納得ができますか？　遺体と対面すらできない。当協会にとって重要なのは誘拐や拉致の内実を知ることなのですが、ずっと闇の中。

そもそも名前まで明確な死亡者の情報を、ＵＮＭＩＫはいったいどこから入手しているのか？　私たちが何度追及しても教えてくれません。真相を知っているはずなのに……」

私は何人かのデモの参加者にインタビューを求めて、その背景を探った。出身地はそれぞれに異なる。プリシュティナ、プリズレン、そしてポポビッチの生まれ育ったペーチの人間がいた。被害者はすべて民間人である。証言を書き留める。

「息子はアルバニア人の友人から良い仕事があるという言葉に誘われて家を出て、そのまま帰って来なかった。あとから分かったのですが、人身売買されていたのです。あんなに仲の良かった息子をどうして売ったのか、今でも分かりません。その子をＵＮＭＩＫ警察に訴えたのですが、証拠がないと、取り合ってくれなかった」「昼間でした。夫は私たち家族の見ている目の前で強引に連れ去られました。目撃者もたくさんいます。でもそれきりです。警察は何もしてくれません」「父の家を訪ねたら、そこを隣に住んでいたアルバニア人の家族に占拠されていました。父はどこへ行ったのか聞いても教えてくれません。彼らとは家族ぐるみのつきあいだったのでショックでした」

拉致は至るところで起こっていた。威風堂々と翻る星条旗の下で、かつて、「行方不明者家族会議」を取材していた頃の記憶が生々しく蘇ってきた。プリシュティナで熱心に医療行為に従事していた外科医がいた。プリシュティナ大学の医学部学部長で、名前をアンドリヤ・トマノビッチといった。「患者に差別なし」が口癖だった。それは、ミロシェビッチによってアルバニア人の自治権が剝奪され、セルビアとの対立構造が明確になっていた時代だった。コソボでは、二つの民族による行政がバラバラに運営を始めるという分断構造になっていたが、トマノビッチにとっては、セルビアもアルバニアもロマもその属性は意味を持たず、診る基準は重篤か否かだった。99年3月にＮＡＴＯ軍の空爆が始まると、病院に約80日間泊まり込んで、運ばれて来るけが人に不眠不休で治療行為にあたった。同年5月には、KLAの名のある幹部が足を大怪我してやって来た。トマノビッチの属性からすれば、テロリストの親玉であるが、顔色ひとつ変えずに手術を施した。

空爆が終了すると、投獄されていたアルバニア系政治犯の釈放を求める書類に、セルビア側の要人としてサインをした。すべての民族から慕われたこのトマノビッチが、空爆終結から2週間が経過した6月24日に忽然と姿を消したのである。教職にいた妻のベリツエは「この人を探しています」とセルビア語とアルバニア語で書いたビラを作ってKFORに預けた。周辺で暮らすアルバニア人たちも献身的に捜索に協力してくれ、やがて、一人の目撃者が現れた。消息が途絶えた日、トマノビッチが病院から出て来たところに、二人の男が襲いかかるのを見たという。「彼は足を使って必死に抵抗していたが、やがて強引にルノーの車に押し込まれていきました。私はKLAが怖くて猛スピードで去っていく車を見送るしかできませんでした」

ルノーという車種まで記憶している。まさに白昼、公衆の前での出来事だった。

ベリツエは真実を求めるために行方不明者家族会議の職員になり、こんな言葉を残している。

「夫は自分の人生の36年間を、コソボの医療に捧げてきた人です。兵士でもない64歳の初老の医師を、いったい誰が何の理由で拉致するのです？　届けられた被害者の状況を集計してみると、さらわれた現場は工場や幹線道路、人目のつきやすいところばかりです。KFORが駐留した理由は、民族に関係なくコソボに残った人間の安全を保障することだったはずです。しかし、悲劇は起こった。私はセルビア軍に追われて離れ離れになっていたアルバニア人の家族の方々が再び一緒になれたと聞くと、素直に良かったと感じます。でも、我々にとっての問題は何ひとつとして解決していない。それでも私は信じています。夫の最後を見届けたことを勇気をもって証言してくれたアルバニア人の方がいた。そんな人がいるから、いつかは真実が明らかになってともに生きていけると信じられるのです」

自民族に不利な証言をしようとする者には、ＫＬＡから容赦ない圧力がかかる。それに屈しなかったアルバニア人に対して、ベリツエは勇気という言葉で讃えた。

罪深いのは、無辜なる市民が犠牲になっているというのに、これを冷静に伝えるメディアがほとんどいないことだ。空爆後、コソボから約20万人のセルビア人が難民となって故郷を捨てることになった。サンフレッチェ広島のランコ・ポポビッチの家族もそのうちのひとつである。この大量難民の流出の映像を流しながら、「報復を恐れて逃げ出したセルビア人たち」と報道した日本のテレビ局があった。報復？　いったい彼らが何をしたというのか。セルビア治安部隊や右翼マフィアのアルカンが率いるセルビア民兵部隊による迫害は確かにあった。しかし、先祖代々続く土地に暮らしていたセルビアの民間人たちは、この地を侵略して植民地にしたわけでもなく、直接的な加害行為に関わったわけでもない。そもそもＫＬＡが空爆前に行った武力で支配地域を広げる行為は、国家内国家を作る重罪であり、米国で言えば、南北戦争で南軍が独立を叫んで駆逐されたことに相当する。また歴史を紐解けば、ミロシェビッチがコソボの自治権を剝奪する直前、89年7月には、この地の少数民族であるセルビア人とモンテネグロ人がアルバニア人からの迫害に対する抗議集会を開いている。自らに求心力を得るために民族主義を利用したミロシェビッチは罪深い。しかしそれ以前はセルビア人が被差別の側に立たされていたこともまた事実である。拉致被害に遭ったほとんどの人々は、この苦難の歴史を生きてきた人たちであり、アルバニア人との融和を望んでいた。少なくとも「報復」をされるようなことは行っていない。そこに分断を持ち込んだのは、ミロシェビッチであり、ＫＬＡであり、米軍である。

目の前のプラカード群を見やりながら、参加者の数を数えた。拉致被害者のデモ集会は、約50人ほど。この日のアクションを取材に来ているメディアも数えるほどであった。コソボの拉致被害者家族に対するセルビア本国の関心は低下している。

被害者家族たちも、記者たちの質問に熱心に答えてはいるが、明らかに疲れていた。真相究明を求めてもう8年、解決に向けて一向に事を前に進めようとしない政府と国際社会を前に、無力感に打ちひしがれているようにも見えた。米国大使館の門扉は堅く閉ざされたまま、一度も開くことはなかった。ブッシュが言うように、近く米国がコソボの独立を承認してしまえば、そこに暮らすセルビア人たちが、さらなる苦境に陥ることは目に見えている。のみならず、一時避難のつもりで逃れた難民たちのコソボへの帰還もほぼ不可能になるだろう。示威行動の予定の時間が過ぎてデモ参加者の集団は三々五々、解散となった。住まいを追われた彼ら、彼女たちはこれよりレスニックの難民キャンプに戻るのだ。家畜小屋を改造されたそれは、夏ともなれば異臭が漂い、昼間はとても室内にはいられない。同じコソボのセルビア人であるランコ・ポポビッチには、サッカーという生き残る術があった。プレーをしたシュトゥルム・グラーツの選手時代にオシムの薫陶を受けて成長し、オーストリア国籍を取得し、今も日本のJリーグで指導者の仕事に恵まれている。

しかし、彼もまた生まれ育った故郷に帰ることができないという点においては、ディアスボラであることには変わりなく、「親父の墓に祈りにいくこともできない」と漏らしていたことを思いだす。

ポポとの約束を果たすために翌日、ベオグラードからプリシュティナに向かった。

州都プリシュティナへ

まだプリシュティナ空港は閉鎖されたままであるため、陸路でコソボに向かうことになる。ほとんどの海外メディアは、セルビアではなく隣国マケドニアの首都スコピエから入る。理由は単純で、この方が近いからである。ベオグラードからプリシュティナは車で約6時間、対してスコピエからであればほぼ2時間で到着する。しかし、これは決して褒められた取材経路ではない。国連条約１２４４条によれば、セルビア警察やセルビア軍は撤退を余儀なくされても、コソボは依然としてセルビア領土であり、マケドニア国境は封鎖されていることになっている。この禁を冒してマケドニアからコソボに入国した場合、違法入国扱いとなって、セルビア側には移動できないのである。いきおいマケドニアに戻って帰国することになる。結果的に対峙している民族の地域の観察を怠ることになって、知見にバイアスがかかる。利便性だけを考えた外国メディアのこのマケドニアからの取材ルートが主流になってしまったために、セルビア側の情報がほとんど伝えられなくなってしまった。このことも拉致被害が不可視にされてしまった要因のひとつである。それでも記者たちが、コソボ内に点在している少数民族のエンクレイブに行けばまだ良い。そこはセルビア人をはじめとする取り残された被差別少数者の地域であるからだ。しかし、コソボで2年間生活していたＵＮＭＩＫの日本人職員でさえ、「それは行ったことがないですねえ。わはは！」と悪びれずに言うほどに無視されている。

ベオグラードから陸路コソボに向かうには、南部の都市であるニシュ経由とセルビア人エンクレイブであるミトロビッツァ経由の二つのルートがある。今回は高速道路を使用するニシュ経由を選択した。この高速バスは知人の日本人女性フォトグラファーも使ったことがあるそうだが、そのときに変わった体験をしたという。「社内のスピーカーから、浜崎あゆみの歌がいきなり流れてきたんですよ。何でここでこれが？　と思って『ちょっと、あゆだよ！』と興奮して回りのお客さんに話しかけても当然皆、それが誰だか知らないし……」。運転手の気まぐれなのか、そもそも何で浜崎あゆみの音源がバスに積まれていたのか不思議であるが、行き先がニシュだったからかもしれない。

ニシュは、名古屋グランパスのストイコビッチがサッカーのキャリアを始めたクラブ、ラドニチュキ・ニシュがある。ラドニチュキの意味は「労働者」。社会主義時代のニックネームがそのまま残っている。日本人乗客へのサービスだったのだろうか。

ニシュからは州境までタクシーを使う。このときにあらかじめプリシュティナのアルバニア人ドライバーに、到着の予定時間を携帯電話で知らせておく。セルビア側の運転手は、ニシュのナンバーの車に対する投石や嫌がらせを恐れて行ってくれないのだ。タクシー乗り場で客待ちをしている彼らは、どんなにヒマをしていても「料金を二倍もらっても行きたくねえよ」という。これはアルバニア人の運転手も同様で、コソボ州境まで来るのが精いっぱいで、ニシュにまでは絶対に来たがらない。かつてはベオグラードからプリシュティナまで鉄道も走り、国内の定期便も飛んでいた。車も自由に往来していた。いつからこうなってしまったのか。再び記憶をたどる。

私が最初にコソボ取材に就いたのは、フランスW杯が開催されていた1998年の6月だった。内戦状態にある中、プリシュティナのグランドホテル2階にあったプレスセンターのテレビモニターで、バティストゥータのゴールを観た。このW杯期間中、オリンピック休戦よろしくスポーツによる停戦を少しは期待したのだが、現実はまったく逆に作用していた。戦闘は頻繁に起き、隣の会議室では、ほぼ連日その報告会見が行われていた。あのとき、W杯に出場していた中で、セルビア（当時ユーゴスラビア）は唯一、内戦状態にあった国ではなかったか。

そもそもコソボに行こうと思ったきっかけは、ベオグラードの新聞で、当時レアル・マドリードでプレーしていたユーゴ代表のＦＷミヤトビッチをＫＬＡが暗殺しようとしているという記事を見かけたことであった。ＫＬＡの「解放区」に入ってその武器装備の出どころや戦闘の目的を尋ねた。米軍が友軍として参戦してバージョンアップを図る前のＫＬＡは、拍子抜けするほどの貧しい山岳ゲリラで、銃もカラシニコフしかなかった。到底、フランスに刺客を飛ばして、この年のチャンピオンズリーグでレアルを優勝に導くゴールを決めたエースを暗殺できるような力があるはずがなかった。これはセルビア側メディアのフェイクニュースだった。ＫＬＡ「解放区」には、当然ながらアルバニア人しかいなかったが、当時の都市部においては、同じ地区、同じアパートで多民族が混在していた。異なる民族同士のカップルも決して少なくなかったし、セルビアとアルバニアのダブルの子どもも珍しくはなかった。

しかし、空爆がその風景を一変させた。強力な軍事介入は、民族間の敵と味方の線引きを後戻りできないほどに旗幟鮮明（きしせんめい）にもたらした。それから8年が経過し、分断はより深まっている。何より、居住地域が完全に棲み分けされてしまったことで、次世代の子どもたちは異なる民族同士で交わることができなくなった。

イビツァ・オシムはかつてこんなことを言っていた。「いいか、民族主義っていうのは、同じ境遇の者を同じ家や教室の中に閉じ込めて窓も扉も締めて、『他の奴らは敵だ。歴史はこうだ、俺たちは被害者だ、だから奴らを追い出せ！』と教育の場で吹き込み続けることで生まれてくる。それを止めるには人間同士が交わることだ。交わることで信頼を築いて戦争を防ぐことができる」

オシムが率いたユーゴ代表は、多民族集団として抜きん出た強さと求心力を誇っていたが、それでもサッカーの力だけでは90年W杯の翌年から始まった戦争を止めることはできず、オシムの妻アシマと娘イルマはサラエボ包囲戦の渦中に取り残され、二年半の間、スナイパーによる殺害の危機にさらされ続けた。

空爆後のコソボの場合は、武力衝突こそ起きないが、動かし難い分断が横たわっている。

州境であるメルダレでのタクシーの乗り換えも問題なくできた。ニシュからの車を降り、UNMIKが管理するイミグレーションを徒歩で越えたところで、アルバニア人運転手のガシが、にやにや笑いながら待っていてくれた。あいさつを交わしてプリシュティナ・ナンバーの車に乗り込む。

「景気は、どう?」「ぼちぼちでんな」。ガシが稼いでいるのには理由がある。セルビア人運転手とこの州境チェンジの客を紹介し合っているそうだ。「いいヤツなんだよ。ニシュからプリシュティナに行きたいという客がいるときは、連絡が来て俺がここで待つ。逆にプリシュティナから州境を越えてセルビアに移動するときは、俺がヤツに電話して客を紹介する。客も喜ぶし、俺たちも潤う」。もう一つの州境越えのルートであるミトロビッツァは、れっきとした町であるのに対して、このメルダレは単なる山道にぽつんとイミグレーションの箱を作っただけなので、周囲には何もない。客はここで降ろされても何もできず、ヒッチハイクをするしかないので、この紹介制度は歓迎されている。

「セルビア人の運転手とは何語で話しているんだ?」「セルビア語だよ」「それに抵抗はないのか?」

「ないね。チトー（大統領）を知る俺たちの世代は、セルボ・クロアチア語の教育も受けていたからな。ミロシェビッチには酷い目に遭わされたけど、仕事の相棒は関係ない。仕事なんだから、通じる言葉でなけりゃ意味がないだろう。まあ、プリシュティナの運転手仲間に見つかると嫌味も言われるけどな。分断に風穴が空くのは、政治よりも経済からだよな。それもプライベートのな。俺も怖かったから、最初はおそるおそる声をかけたけれど、あのセルビア人はいいヤツだ。多分、ベオグラードのヤツらも。まあ、そんなことは実はみんな分かっているんだがな……」

周りの目だ。あんなヤツらと和解なんてするなよ、といういわゆる同調圧力だ。ガシのような40歳から上の世代は自治権がもたらされていた時代を知っているが故に、ときに今のセルビア人に同情的な言辞をもらすことがある。しかし、これが町中、コミュニティの中ではそうはいかない。お前は民族愛がないのか？　と吊るし上げられる。ガシが言うには、仲間に受け入れられたいときは、ヘイト（＝差別煽動）が一番、効くという。げんなりするが、この翌日、私はその事例を目のあたりにすることになる。

鼻を折られた老婆

ガシの運転で、無事にプリシュティナの安宿、ホテル・イリリアに着いた。イリリアとは古代バルカン地域で独自の文化を誇った民族の名前で、アルバニア人の祖先と言われている。日本で言えば、民宿倭人、ペンション縄文といったところか。ホテル名ひとつにも、アルバニアナショナリズムが滲む。疲れていたが、荷物を放り込むとすぐに向かいたい場所があった。サッカークラブFKプリシュティナのスタジアムの裏手に、行き場を失ったセルビア難民たちが暮らしているバラックがあると聞いていたのだ。スタジアムまでは徒歩で10分もかからない。

ちなみにこのFKプリシュティナは、コソボ最大のサッカークラブで、80年代はユーゴスラビアリーグの中でも南部の強豪として存在感を見せつけていた。のちにクロアチアの初代代表監督としてチームをフランスW杯で3位に導いたチーロことミロスラフ・ブラジェビッチや、セレッソ大阪で指揮をとったファド・ムズロビッチが監督を務めていたことがある。

ブラジェビッチはクロアチア人、ムズロビッチはボスニア人であるから、選手の大半がアルバニア人選手であっても、当時のFKプリシュティナは決して固陋な民族主義に固まっていたわけではない。しかし、89年に自治権を剝奪されるとアルバニア人選手はこれに抗議する形でユーゴスラビア（＝セルビア）リーグでのプレーをボイコットする。これは他の行政機関から、同胞たちが追い出されたことに対する抗議の意味も含まれていた。

ほとんどの選手が退団したために、FKプリシュティナには、セルビア人やマケドニア人など、非アルバニア人選手しかいなくなった。前述したが、この時代で著名なセルビア人選手が、後にスペインのクラブ、セルタでCBを務めることになるゴラン・ジョロビッチだ。一方、アルバニア人選手は、自分たちでFIFAに非加盟の独立リーグを作った。スタジアムが使えないために、空き地でのリーグ戦を余儀なくされた。結果的に才能ある選手たちが、現役時代を棒に振ってしまうことになった。

私がいつも思い出すのが、最もその才能を惜しまれた「コソボの10番」ことアフリム・トビャルラーニである。トビャルラーニはユーゴスラビア時代の80年代にデヤン・サビチェビッチ（＝ACミラン、モンテネグロ人）やムラデン・ムラデノビッチ（＝ガンバ大阪、クロアチア人）と並んでユース世代のビッグ3と称された男である。チーロ・ブラジェビッチがFKプリシュティナの監督をしていた際にその指導を受けるという貴重な体験もしている。順調に行けば、A代表に選出されてオシムの下でプレーしていたことは想像に難くない。

オシムは選手選考の評価基準はあくまでもサッカーにあるとして、そこに民族を持ち込まなかった。

各共和国の政治家から「我が民族の選手を使え」という圧力が強い中、「その選手が優れていればユーゴ代表を（当時、最も被差別階級に置かれていた）コソボのアルバニア人で11人選んでみせる」とタンカを切った。言っただけではない。87年10月14日の北アイルランド戦で、ファデル・ヴォークリ（後にコソボサッカー協会会長）というアルバニア人選手を起用して2ゴールの活躍（試合は3対0でユーゴの勝利）を引き出している。

トビャルラーニもまた、ユース世代では名前を知られる選手であった。しかし、代表選手としての道をあきらめてボイコットを貫徹した。プロを辞めることは失業を意味する。それからは艱難辛苦、ピザ屋を経営しながら家族を養ってきた。

90年から99年までは、コソボのアルバニア人フットボーラーたちがその存在を世界から消失させられた暗黒の期間であった。しかし、99年3月のNATO空爆によって、政治状況が反転すると、今度はFKプリシュティナからセルビア人選手が追われた。そして10年ぶりにFKプリシュティナにアルバニア人選手が戻ってきていた。

トビャルラーニのことを思い出しながら、スタジアム裏で難民のバラックを探した。小さな路地のようなスペースがあった。入っていくとそこが目指す場所だった。鼻が曲がりそうな異臭が充満している。難民キャンプでよく嗅いだ匂い。下水が完備されていないのだ。肩を寄せ合うように建っている小屋の入り口のひとつをノックして中に声をかけた。「誰?」と年老いた女性の怯えたような返事がした。「日本から来た記者です」。少しの間があり、ギイと扉が開いた。現れた老婆の顔を見て言葉を失った。顔面が鉄仮面のように白い分厚い絆創膏で覆われている。

理由を聞く前から消え入りそうな声で、「私は鼻の骨を折られたのよ」と彼女、75歳のルーカ・イヴァノビッチは言った。暴行してきたのは、近所に暮らす18歳の少年だという。セルビア難民の彼女を守ってくれる人はもういない。7年前に先立たれた夫の写真が、この粗末な小屋の棚の上にあった。部屋を見渡すと、壁に幾多のビニール袋がかかっている。中身は逃げるときに無造作に詰め込まれた食器や衣類だ。取るものも取りあえずの逃避行であったことが分かる。

「私はただ、家の前に洗濯物を干そうとして外に出ていたのです。家に入ろうとしたら、少年がついて来たので、『ここは私の家ですよ』と言ったら、『ここは俺たちの国だ！』と怒鳴ってきたのです。私は『でもここは私の家です』と言い返しました。そうしたら、まずます激高して顔を拳で殴ってきたのです」。鼻骨が折れ、ルーカは悲鳴をあげて倒れた。あまりの痛さに起き上がることもできなかった。

あなたは誰ですか、なぜこんなことをするのですか、問いかけに少年は、「俺は愛国者だ」と名乗った。

「警察は動いてくれないのですか？」。ルーカは力なく首を横に振った。

「もちろん、この恥ずかしい顔で訴えました。UNMIKは、犯人を特定して拘束してくれました。年齢はそのときに聞いたのです。しかし、なぜだか、すぐに解放してしまいました」。部屋の中をうすら寒い風が吹いた。「嫌がらせはそれからも続いています」

警察は何の後ろ盾もないルーカへの警備はしてくれない。

しばしば愛国者は、仲間を連れてやって来ては部屋の前に汚物を撒いたり、窓の外から、「早く出て行け」と叫んだ。「だから怖くて仕方がない。このバケツの中を見てちょうだい」。覗くと、破壊された錠前がいくつも入っていた。「家の鍵が何度も壊されて家の前に捨てられているの」。付けても付けても外される。それをルーカは証拠として集めてはバケツに入れる。「痛い目や怖い目に遭わせて、私が自分から出て行くのを待っているのでしょう。逃げたい気持ちはあります。若い人なら、セルビアへ行って仕事も探せるでしょう。でも年老いた私にはそれもできない。仮に逃げられてもその先の保障はないのです」

今の生活は国連の援助に頼っているというが、それも十分ではない。「このままコソボが独立すれば私にとっての状況はもっと悪くなるでしょう」

過激な排外主義が、若い者の中で育っている。この18歳の少年はそこに「愛国」という「正義」を持ち込んでいる。コソボはアルバニア人のもの。だから異物は排斥するという正義。18歳の少年ならば、空爆時は10歳。それ以降に彼が受けとった教育は、「共存よりも浄化」だった。さすれば、セルビア人の老婆は排除すべき敵なのだ。

ルーカに少しのお金、水と食べ物を渡した。小さな声で「ありがとう。私は両親や夫が眠るこの国で一生を終えたい」と言った。

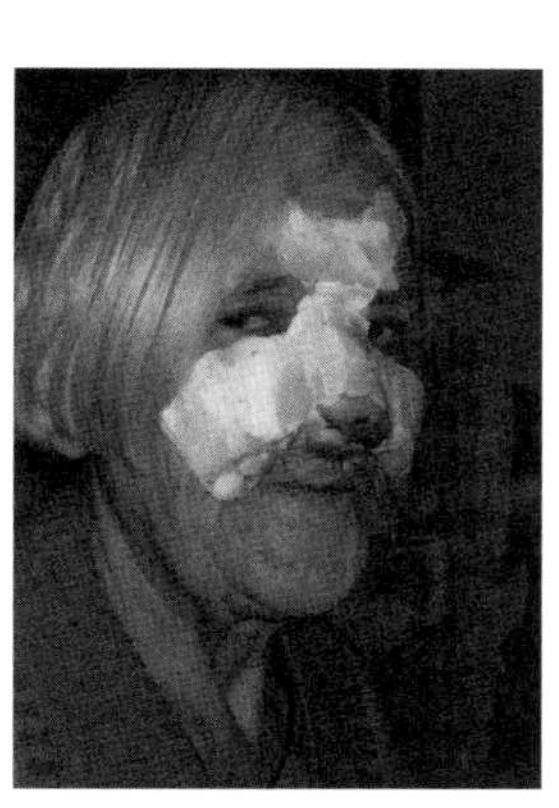

近所に住む少年に鼻の骨を折られた75歳（当時）のセルビア難民ルーカ・イヴァノビッチ。

KIMラジオのモンテネグロ人

翌日、セルビア人エンクレイブ（民族集住地域）のチャグラビッツァに向かうべくホテル前から、タクシーを拾った。スタジアム裏は難民のバラック小屋の集合体だが、同じコミュニティでもチャグラビッツァはそれ自体が小さな村である。行き先を告げるとアルバニア人の運転手は案の定、顔をしかめた。「チャグラビッツァ？　悪いが、村の中までは入らないから、手前で降りて歩いて行ってくれ」。セルビア人だけの集落に入るのは、彼にしても怖いのだ。コソボ内には、他にもリュプリャン、グニッツァ、ミトロビッツァ北部等々、いくつか、このような飛び地がある。かつてはアルバニア人もセルビア人も主要都市の中で混在していたのだが、治安部隊の撤退後は、セルビア人はこのエンクレイブに逃げ込むかたちとなった。

棲み分けされたのは、居住地域だけではない。貨幣単位も分かれてしまった。コソボは、国連部隊やＵＮＭＩＫが入ってきたことでユーロが流通しているが、セルビア人エンクレイブは、それまで同様にディナールのままである。当然ながらディナールよりも欧州基軸通貨のユーロの方が価値は圧倒的に高く、エンクレイブは慢性的なモノ不足に悩まされている。いつだったかカンボジアやボスニア、スリランカで和平調停にあたった明石康国連事務次長は言った。「国連職員たるもの、紛争地や貧困地帯に行くのなら、その中でも最も困難に瀕している人間がいる場所に真っ先に行くべきです」

コソボにおいて最も困難に瀕している人がいる場所、それは当然この少数民族エンクレイブを意味するのだが、残念ながら、国際機関や海外メディアのスタッフを見たことは、ほとんどない。数あるそのエンクレイブの中でチャグラビッツァ取材を選んだのは、ここには唯一の独立ラジオ局（Kosovo I Metohija Radio）通称ＫＩＭラジオがあるからだった。私はポポビッチの実家についての情報をここで集められないかと考えた。

ＫＩＭラジオには、ジボインという、何やら日本の少女漫画に出てきそうな名前のモンテネグロ人の局長がいる。モンテネグロは宗教が東方正教、文字がキリル文字で、セルビアと同じであるが、前年の２００６年6月3日に独立をしており、外交的には第三者的な立場にいる。加えてジボインはこの地域のメディア人としては珍しく、民族の枠を超えた公正な知見の持ち主だった。

以前、「ユーゴの諸地域において民族教育とは何だったと思うか？」と聞いたことがあった。とんでもなく乱暴で丸投げの質問だったが、こんな答えが返ってきた。「多民族国家の中では、アイデンティティを保持する上で重要だったとは思う。全員がユーゴスラビア人（南のスラブ人）なんてあいまいなものに押し込められていて、そんな幻想には辟易していた人々が多くいたのは事実だ。彼らは贔屓のサッカークラブで自分の民族性を確認していたくらいだから。ただ、そのアイデンティティが戦争や排外をしたい勢力に利用されてしまった部分は否めないな。民族教育ももちろん大事だが、教育ならば必ずそれと同時にまず人権や法治を教えるべきだ。民族愛ってのは、他民族を憎むことじゃないはずだ」

サッカーと民族性について少し補足をすると、ユーゴにおいてセルビア人ならレッドスター・ベオグラード、クロアチア人ならディナモ・ザグレブというようにチームと民族は極めて密接に結びついており、これが紛争にも利用されていた。レッドスターのサポーターのリーダーだったアルカンことジェリコ・ラジュナトビッチは同胞の保護を名目に、フーリガンで構成した通称「虎部隊」を率いて、ボスニアでムスリムの人々の家屋を襲い、財産を収奪した。ディナモのサポーターのＢＢＢ（バッド・ブルー・ボーイズ）は、義勇兵となってブコバル包囲戦に参戦している。紛争を自身で経験した人間が、これらの現象を批評的に見ることは困難なはずだが、ジボインは説得力のある分析を施してくれた。

彼なら公正に知恵を貸してくれるのではないか。

久しぶりの再会をイメージしていると、タクシーがキーッと音を立てて急停車した。チャグラビッツァ村の入り口に着いた。

「俺が運転できるのはここまでだ」とすまなそうに言う運転手に礼を言って、車から出る。彼が悪いわけではないのだ。悪いのは分断を持ち込んだヤツだ。

放送局といっても二階建ての簡素な民家である。パソコンの置かれた事務室とミーティングルーム、そしてスタジオという造りである。

独立ラジオ局KIMラジオの局長ジボイン・ラコチェビッチ。

「いつ来たんだ？」「昨夜だよ」。見事なカイザー髭を蓄えたジボイン・ラコチェビッチは、柔和なまなざしが印象的な大男だ。トルコーヒーを勧めてくれた。せっかちな私は単刀直入に切り出した。「実はペーチ出身のセルビア人のサッカーの指導者の生家を探してそこに行こうと思っている。それで聞きたいのだが、今はどんな状況なんだ？　俺は行けたとして、例えば彼が近々、オフになってから、生家に向かうことは可能だろうか？」。ジボインは、こちらの意図を理解すると、デスクに戻って新聞を一部取り出してきた。「今朝の報道だ。これが今のコソボを象徴しているな」。彼はどんなときでもエビデンスを前に説明を施す。新聞はアルバニア語の代表的な日刊紙・インフォプレス紙だった。一面には、99年当時にセルビア軍に所属していた者の名簿が公表されていた。「自分たちを迫害をしたやつらを見つけた！　というスクープみたいな扱いだ。この意味が分かるだろう？　当時の徴兵は義務だったから、時期がくれば誰もが兵役に就いていた。その名簿だ。当たり前だが、コソボに来ていない兵士もいる。リストにある人物全てがコソボのアルバニア人の迫害に当たったわけではない。それにも関わらずこうして一般紙に名前が掲載されている」

ユーゴ紛争における戦争責任の追及については、すでに国連の安保理決議によって設置されたＩＣ

ＴＹ（旧ユーゴスラビア国際戦犯法廷）が担っている。スイス人の女性検事であるカルラ・デル・ポンテが大量虐殺を指揮した戦争犯罪者たちを次々に訴追しており、セルビアのミロシェビッチ大統領、スレブレニツァで約８０００人以上のイスラム教徒を虐殺したムラジッチ、カラジッチの両軍人、クライナの軍事掃討作戦（通称「オルーヤ＝嵐」と呼ばれる民族浄化作戦）でセルビア人を約20万人追い出して難民にしたクロアチアのゴトビナ将軍たちが、戦争犯罪の責任を追及されている。

「そういうとんでもない戦犯たちはしっかりと裁かれるべきだ。しかし、ただ徴兵で召集された兵士の名前を羅列して、弾劾を煽るのは不毛な犯人探しではないか。ミロシェビッチ政権が行った蛮行と一般のセルビア人は分けて考えないといけないのだが、これでは差別煽動に繋がるだろう?」。ジボインが憤る。

ふと、ストイコビッチの話を思い出した。彼も兵役の義務はコソボで果たしている。

「ピクシーもこの時代に生きていたら、そうなったのかな。確かにここに名前を載せられたセルビア人は、コソボ内にはもう住めなくなるだろうな」。私の言葉にジボインは首を振った。「ここに名前がなくてもセルビア人なら怖いだろうな。こんな私刑みたいな報道をされると、融和は進まない。しかし、残念なことにこういう報道が今、熱狂的に受け入れられているのだ。この新聞もかなり売れたそうだ」。売れる。作る。また売れる。読んだ人間はそこで「正義と愛国」に目覚めて行動に移す。私は昨日のルーカの話をする。プリシュティナでは、75歳の老婆が18歳の少年にこんな目に遭わされている。じっと聞いていたジボインは冷めたコーヒーを啜りながら言った。「熱狂はエンクレイブを敵視する。私はモンテネグロ人だが、やはり怖いよ。少数者であることが、まるで悪い事のように感じてしまう」

ＫＩＭラジオでは、マイノリティであるセルビア語話者のために放送を続けている。「メディアの役割ってのは公益性だろう。災害や事故のアナウンスなんかは一刻も早く知らせなくてはいけない。これを伝える放送がひとつの言語だけということになってしまったら、エンクレイブの人たちの生活はどうなる？　うちの局の予算は同胞の支援者の寄付で賄われているが、それも心もとない。ディナールでもらっても足しにはならないからな。それでも何としても存続しないといけない」

ジボインは立ち上がって地図を広げると、エンクレイブを指さして、今ここにある分断について話を始めた。「ここがチャグラビッツァで、ここがリュプリャン。携帯の電波もコソボ全土とエンクレイブでは違うんだ。エンクレイブで使える携帯はセルビア本国としか繋がらないから、アルバニア人と通話することもできない。おかしいだろう？　セルビア側にも問題がある。今どき、ローミングで外国とさえ通じるのに、エンクレイブは一歩入ると電波も通貨も通じなくなる。孤立しているだけではなく、会話ができないことでますます相手に対する想像力がなくなるのだ。互いにとってこれは良くないことだ」

具体的な要件に移りたくて、ポポビッチの生家の住所を見せた。「それでここに行きたいんだが、どうかな？」。モンテネグロ人はメモの地名を見つめていたが、肩をすくめた。「ペーチか。聖地だが、もうほとんどセルビア人はいないだろう。さすがにデチャニ修道院とその近辺は相変わらずイタリア軍が守ってくれているが、人は住んでいないはずだ。このチャグラビッツァにもペーチから逃れて来た家族が何組かいたが、攻撃対象になってしまったと言っていたな」。日本だと鎌倉時代にあたる１３２７年に建設されたセルビア正教のデチャニ修道院はその歴史的価値によって、２００４年にユネスコの世界遺産に登録されている。だからＫＦＯＲは特に人員を割いて警備にあたらせてはいるが、標的にされる状況に変わりはなく、２００６年に危機遺産にも指定されている。デチャニ以外に破壊されたセルビア正教の宗教施設は数限りない。

別れ際、「ペーチがどうなっているか、自分も気になる。襲われてなければいいが」とジボインは言った。

ペーチ

翌日、ポポのくれたアドレスを握りしめてペーチを目指す。プリシュティナから西へ車でおよそ2時間半の距離だ。セルビア正教の総主教座が置かれたこの地は、セルビア人にとってはいわばアイデンティティの源とも言える。モンテネグロが住民投票によって独立を決めると、セルビアの民衆たちがあっさりとそれを承認したのに対し、コソボに対してはどんなに痛い目に遭わされても独立を認めないのは、このペーチがあるからと言っても過言ではない。

99年にユーゴスラビア大使館で行われた反空爆の集会で、ひとりの軍事評論家がセルビア大使に向かって、「コソボはろくな資源もなく、むしろ貧しくて地方交付を必要とする。かつての日本の満州のようなものだ。ベオグラードの中央政府が援助するだけ赤字なのだから、さっさと独立させたらどうか」と提言したことがあったが、彼は決定的な間違いを犯している。満州は中国東北部に人工的に作られた日本の傀儡国家だが、コソボはセルビアが植民地にしたのではなく、そもそも民族発祥の地と言われている場所だ。セルビアの小学生たちは、日本の子どもが修学旅行で伊勢神宮に参拝するように、ペーチ旅行を必修とされていた。経済効率では測り知れない望郷の情が蓄積しているのだ。

昨日のジボインの言葉が気になっていた私は、まずデチャニの修道院を見に行くことにした。果たして14世紀の世界遺産に対する不穏な動きはないだろうか。

高い塀に囲まれて建つその修道院は、一歩中に入ると清廉な光に満ち溢れていた。電灯のない14世紀の昔から、天窓より差し込む陽光に照らされた宗教画は、それ自体から荘厳な空気を発している。しばし天井を見上げていると、兵士にガードされたものものしい一団が入ってきた。要人らしい人物が何人もの記者を引き連れている。〈何だ、この集団は？〉。せわしなくシャッターを切っていたカメラマンに聞くと、セルビア本国から来たコソボ担当大臣のサマルジッチだという。「なんでまた大臣が？」「知らなかったのか？　昨日の深夜、ここの裏手に手りゅう弾が投げ込まれたんだ」。ジボインの心配が当たってしまった。それで、大臣がベオグラードから警備を引き連れて現場に来たというわけだ。「犯人は？」「まだ捕まっていない」。危機遺産に指定されていたのは、伊達ではなかった。

サマルジッチ・コソボ担当相を追いかけて、ぶらさがりのインタビューを敢行した。この事件をどう受け止めているのか？　大臣は憮然としていた。

「中世より続くデチャニ修道院をテロリストが攻撃してくる理由はひとつだけ。680年前からコソボにセルビア人が住んでいたという痕跡を抹消しようとするのが狙いなのだろう。独立をしたい連中からすれば、先住の民族がいるという事実は都合が悪いのだ。これは歴史に対する冒瀆であり、人類

聖地ペーチに建つデチャニ修道院。ユネスコの世界遺産にも登録されている。

の文化に対する侮辱だ」

ひとつの矛盾が存在する。石炭以外、これといった資源がないコソボは、自立した経済基盤がなく、ユーゴ時代はスロベニアやクロアチア、セルビアといった北部の豊かな共和国からの経済支援で成り立っていた。ユーゴ連邦崩壊後は、それがなくなり、外貨を稼げるものが、唯一観光資源だけとなった。しかし、その観光資源とは、セルビア正教の建物であり、それらを対外的に宣伝すれば、歴史的にこの地がセルビアの聖地であったことをアナウンスすることになる。アルバニアの極右政治家にとっては、これほど都合が悪いものはない。

以下は、２００８年のコソボ独立後に日本のユーラシア旅行社が出した西バルカン観光ツアーのパンフレットの中でコソボの魅力を記した一文である。「14世紀、中世セルビア王国国主により建立された数々の修道院と教会の内部を埋め尽くすフレスコ画はまるで中世壁画の美術館のようです。また〝セルビア正教のエルサレム〟といわれるペーチ総主教修道院は総主教座が置かれたセルビア正教徒の方々にとって大切な場所でもあります。現在、修道女さんたちが敷地内にお住まいになり、ＫＦＯＲ（コソボ治安維持部隊）が修道院を守っています」

「何でそんな美しい宗教施設を軍隊が守らなあかんのですか?」「誰が壊すとですか?」と旅行説明会で聞いた参加者がいたが、要はそういうことである。以上余談。２００７年に戻る。

イライラしているサマルジッチに続けて問うた。

「コソボの独立については、国連安保理協議により、独立を認める内容の修正決議案も提示された。あなたは担当大臣としてアルバニア人側に何を要求しているのか?」。間を空けずに大臣は答えた。

「セルビア人地域、エンクレイブにおいての自治を認めさせたいのだ。このままでは、セルビア人に

前日にデチャニ修道院裏手に投げ込まれた手りゅう弾の被害状況を視察に来たコソボ担当大臣のサルマジッチ（前列右）。

限らず、コソボのマイノリティはどんどん生活ができなくなる」

ＫＦＯＲがいるにも関わらず、テロが続いている。この分では、果たしてポポの生家に辿り着けるかどうか。

ヨビセビッチ53A　ペーチ

とにかく住所だけが頼りである。聞き込みながら歩いた。やっかいなのは、地名がすべてアルバニア語に変わってしまっていることだった。個有名詞であるペーチ（Pec）もアルバニア語では、ペーヤ（Peja）になる。道路標識もかつてはセルビア語とアルバニア語の二つで表記されていたが、現在はご丁寧にセルビア語の方はペンキを塗られて潰されている。要はメモに書いたセルビア語の住所を見せた人間が、この言葉に対してどんな感情を持っているかで、対応が変わってくるのだ。自分たちを同化しようとしたものとして拒絶するのか、あるいは寛容に道案内をしてくれるのか。

白壁と茶色い屋根の民家が続き、小さな畑を持つ家が連なる。門扉が堅く閉ざされていて、迷宮に入り込んだような錯覚に陥る。粘り強く外から声をかけて家探しの要件を伝えても、セルビア語の住所を見せるだけで嫌な顔をされる。陽が傾き始めたころ、ようやく「それはあの一画よ」と、一人の女性が指を指して教えてくれた。恐縮して礼を言うと、「私も昔、友だちがいたのよ」。

指定されたブロックの家を一軒、一軒ノックして回った。この辺りに昔、ポポビッチという一家が住んでいなかったですか。やはり、歓迎には程遠かった。「知らない」。かような民族名については、触れたくもないという拒絶を何度も受けた。それでもついに53Aという番地から、目的の家が絞り込まれた。廃屋にはなっていない。人が住んでいる。庭のついた小ぎれいな二階建ての家であった。

意を決して、インターホンを押した。「日本から来ました」と言うと、中から40代くらいの男性が出て来た。「おおっ！　そんな遠い国から、なぜ、うちに来たのか？」という大変に真っ当な質問を受けた。実は、と来意を告げた。

にこやかだった表情が、とたんに曇った。当然である。彼にしてみれば、迷惑極まりない訪問者である。すでに居住してかなりの年月が経つであろう。当地に根を張った生活感は、玄関の調度品や手入れされた家庭菜園からもうかがい知ることができた。そこに突然、何の前触れもなく、一方的に外国人が訪ねてきて、以前住んでいたセルビア人のことを話し始めたのだ。

バルカン半島の人々は、元来、アポイントがあろうがなかろうが、どの民族もそろって、来客があればこれをもてなす強いホスピタリティの持ち主である。しかし、今回ばかりは居心地の悪い対応を受けた。「家主がいなくなり、空き家になっていた場所に自分は入った。新しくなった行政にすでに登記を済ませている。ここは私の家だ」。新しい家主にすれば、何ら咎められる筋のものではない。

追われて難民となったセルビア人たちが捨てた家は、言い換えれば、改修せずともすぐにでも生活ができるスペースである。それまで迫害を受けていたアルバニア人からすれば、誰もいなくなったのであれば、これを使わない手はない。

それでも、ポポビッチにとっては、やはりショックなことではあろう。現在の家主はしかし、最後に配慮も忘れなかった。「以前、どんな人がこの家に住んでいたのかは、私は知らない。ただ、とても丁寧に住んでいるということは伝えて欲しい。あなたの家族の思い出が詰まっているこの家は大切にしていますと」。壁や柱に付いていた傷や庭に植えられていた草花から、かつて住んでいた人の息吹を感じ取っていたのだろう。突然の訪問を詫びて辞した。

ヤニェボ　コソボの中のクロアチア人

ペーチからプリシュティナに戻った翌日、コソボの中にカトリック教徒であるクロアチア人のコミュニティがあると聞き、足を伸ばすことにした。コソボ問題を語るときには、アルバニア対セルビアの二極対立が前提となる。1389年にオスマントルコ帝国がこの地に侵攻してきた「コソボの戦い」以降、歴史的に陣取り合戦をしてきたのは、この二つの民族である。オスマントルコによってムスリムに改宗させられたアルバニア人と、キリスト教世界を守ろうとする東方正教（＝セルビア正教）のセルビア人との対立は根深く、片や人口の多さを主張し、片や発祥の歴史で反駁するというそれぞれの大義の下で戦っている。こういうときに見逃されているのが、他の少数民族の存在である。ボスニアでもそうであった。かの国は、ムスリム、クロアチア、セルビアの三つ巴の戦いにばかりフォーカスが当てられているが、この主要三民族以外のロマやユダヤ人は、国会の上院に議席が認められておらず、これについて欧州人権裁判所が、欧州人権条約（正式名＝人権と基本的自由の保護のための条約）に違反していると判決を下している。それにも関わらず、相変わらず違法な選挙を続けているのである。対立しているはずの三つの民族はこの利権については、団結して温存していると言える。

では、コソボではどうか。当地においてアルバニアとセルビア以外の民族からの視座を入れることにした。クロアチア人は数こそ少ないが、古く12世紀よりコソボに根を下ろしている。元はアドリア海に面した地域に暮らしていたカトリック教徒が、鉱山資源が発見されたコソボの開発に向けて移住したのが、その始まりであった。バチカンを信仰し、ラテン文字を使用するというアイデンティティを堅持しながら、９００年前から現代に至っている。そのコミュニティ（エンクレイブ）がヤニェボという町であった。プリシュティナから車で約１時間半、アルバニア人のドライバーに向かってもらった。

「ヤニェボの集落の中まで入ってくれる？」「もちろん、カネさえ払ってくれれば行く。でもなんでそんなことを聞くんだ？」「いや、グラチャニッツァ（セルビア人エンクレイブ）だったら、行ってくれないだろう」「それはそうだが、、クロアチアとは何ともない。セルビアみたいなクソ野郎とは違うんだから」

そう言えば、と思い出す。98年のフランスW杯で3位になったクロアチア代表には、アドリアン・コズニクというコソボ出身のアルバニア人選手がいた。ディナモ・ザグレブに移籍してそのままクロアチア国籍を取得したのだ。ディナモでは、その年の秋に移籍してきた三浦知良と2トップを組んでいた。そのコズニクも「ユーゴスラビア（＝当時セルビア代表）でのプレーはボイコットするが、クロアチアの赤白の市松模様のユニフォームに袖を通すことには、何の抵抗もなかった。アルバニア同胞のためにも誇らしいこと」と、ザグレブでのインタビューで答えていた。私は複雑な思いでそれを聞いていた。

クロアチアがユーゴからの独立を目指したのは、貧しい南部地域、特にコソボへの援助を嫌ったからでもある。カトリック教徒である初代クロアチア大統領のフラーニョ・トゥジマンは、ムスリムのことを蔑む発言をさかんに繰り返していた。自身はムスリムであるコズニクは反セルビアの感情が強すぎて、彼の中でクロアチア大統領から受けた侮蔑の事実が上書きされていると感じたのだ。だから、彼のふるまいは筋が通らないと言いたいのではない。民族主義はときに都合良く解釈され、利用されるのだ。ボスニアの例に戻るが、先述した三つの民族の権力者たちは、政治的な問題案件が持ち上がるたびに、排除したい民族を孤立させるために、都合の良い歴史解釈でもうひとつの民族に同盟を持ちかけて出し抜こうとしてきた。

セルビア人指導者がムスリムをパージして、クロアチアと組もうとするときは、「我々は9世紀になってから東方正教とカトリックに分かれてしまったが、元は同じキリスト教徒だったじゃないか。思い出そうぜ」と宗教の同根を主張して取り込もうとする。

クロアチア勢力がセルビアを外してムスリムと連携しようとするときは、戦時中にボスニアの領土を巻きこんでクロアチア独立国（＝NDH）を建国したアンテ・パヴェリッチ元首が使用したスローガンをさかんに喧伝して接近した。「『ムスリムはクロアチアの美しい花』だったではないか。我々は同じ領土で暮らした歴史的な同士だ」。ナチスの傀儡国であったこのクロアチアのファシスト政権は、ボスニアのムスリムを味方に取り込んでいたのだが、その時代を切り取って再び同盟を結ぼうとするのである。

そして、ムスリムがクロアチアを排除するためにセルビアと接近するときは、「15世紀にオスマン帝国が攻めてきた際、『イスラム教に改宗したら、貿易させてやる』と言われたので、祖先はムスリムになってしまったが、その前までは、同じ南部に暮らすスラブ人だったではないか、なあ兄弟」と、これまた人種と居住地域を都合よく主張する。

民族とは血なのか、言語なのか、国籍なのか、宗教なのか、文化形態なのか、その定義もあいまいなものであるが、バルカン半島におけるそれは、同じ根にあった人々が、他国の侵略や政治支配によって、その結びつきをころころと変えてきた。

言い換えれば、そんな可変的なもので、人を憎んだり憎まれたりすることの空虚さをジボインなどはよく嘆く。

やがて、ヤニェボが見えてきた。初めて行くのになぜ分かったのか？　村の中央にあるカソリック教会の尖塔が大きなアイコンになっているのだ。まずは、その教会に向かった。駐車している車のナンバーはすべてZG、クロアチア本国の首都ザグレブからの支援者が来ていた。初老の神父たちである。

「我々は今、苦境にある同胞に物資を持って来たところです」「苦境？　ですか」「その通り、この状態を見てそう思いませんか？」

周辺の民家は朽ち果てている。教会に来ていた地元のクロアチア人男性に現状を聞いた。名前はヨシップ、ユーゴの国父チトーと同じだ。「99年の6月以前、ここには４８００人のクロアチア人が生活していた。それが今では２００人しかいない」

24分の1の人口に減ってしまった。セルビア人だけではない。クロアチア人の生活も空爆後に一変したのである。導かれるままに教会の裏手に回った。長屋のように小屋が密集している。ヨシップが言った。「ヤニェボはかつて、ヨーロッパでも知られた銅加工の町として栄えていた。それが今では……」。指さす先を見れば、かつては活気があったであろう職人たちの工房跡がくすんでいた。

一軒だけ、人がいる小屋があった。声をかけると、部屋の中へ案内してくれた。名前はダルコ、中の仕事場所では、まだ細々と工芸を続けているという。壁のポスターを見て、思わず声が出た。「ボクシッチ」。そこには、クロアチア代表のストライカーのアレン・ボクシッチのプレー写真があった。ユーゴスラビア時代はストイコビッチと親友だったFWで、セリアAの得点王にもなっている。見入っていると、職人ダルコは「当然だろ、我々のルーツはクロアチア、それも（アドリア）海の方なのだから」。ボクシッチがキャリアを始めたのは、ダルマチア地方の名門クラブ、ハイドゥク・スプリト。内陸のザグレブではないのだ。だから、貼ってあるのはディナモ・ザグレブのボバンではなく、ボクシッチ。こういうかたちでの民族カムアウトには、何度も遭ってきた。旧ユーゴ諸地域の民族アインデンティティは、必ずサッカーに反映されるが、またそれを目の当たりにし「ルーツを大切にしているんですね」と言うと、ダルコは少し照れた。「そうしなければ、この地で700年も生きてこられなかった。我々はクロアチアの海の民の末裔なのだから」。ダルコの妻が突然、歌い出した。何と、歌詞にアドリア海が出てくる民謡だ。山深いコソボの奥地で清廉な潮風が吹いたような気がした。考えてみれば、ハイドゥク・スプリトの創設はたかだか1911年。その遥か昔から、彼らはアルバニア人とセルビア人に囲まれた飛び地のようなこのヤニェボで、自分たちの文化を守ってきたのだ。

「しかし、それももう、おしまいかもしれない。700年続いてきた伝統工芸が今、行き場を失っている。コソボがＫＬＡの政権になってから、少数民族は、移動の自由がなくなった。流通がないから、工芸品を作っても売れない。先祖代々つづいた銅加工は多分、俺の代で途絶えてしまうだろう」

ダルコは工具を片付けながら、自分を納得させるように、ゆっくりと首を振った。

歌を披露してくれた妻のマリアは、「もう私たちの文化の伝承は難しくなりました。カソリックの学校へ行くにも、ＫＦＯＲ軍の護衛がないと厳しいのです。今や、子どもの数も年々減っています」

最後にダルコが言った。それは本国ザグレブのクロアチア人が聞いたら、激怒しそうな言葉だった。

「まだミロシェビッチ時代のほうが、ましだった」

ポポビッチの半生

４日後、帰国した私はサンフレッチェ広島が宿泊する羽田空港ホテルのラウンジで、ポポと向き合っていた。撮影してきたＶＴＲを見せるという約束を果たすためだ。映像は正直、見せようか、かなり躊躇した。生家には一面識もない他民族の家族が暮らしていた。そこにある家具や家電もそのまま使用されている。周辺の民家から拾った言葉は、少なからぬ民族憎悪の感情を帯びたコメントであった。トラウマにさらに塩を塗るようなことになりはしないか、と危惧をしていた。

ところが、それは杞憂だった。にこにことＶＴＲに見入りながら、「ああ、懐かしい」「こう変わったのか」

コソボのクロアチア人居住区に暮らす工芸職人ダルコの仕事場の壁には、故郷の英雄ボクシッチのポスターが。

を連発し、明るい表情を崩さなかった。自分の生家で暮らすアルバニア人家族やそれを咎めないUNMIKに対する批判もしない。

見終わると「御礼を言いたい。ありがとう」

「ショックはなかった？」と聞くと、「なぜ？　それが現実ならば、受け入れて人生を次に進むしかないだろう」

聞き込めば、ポポの半生は「それを受け入れるしかない」現実の連続だった。

14歳のときに父親を肺がんで亡くし、幼い弟や妹を養うために、肉体労働で家計を助けながら学校に通った。サッカーと出会ったことで、プロになって稼ぐことを決意。地元のブドゥチノスト・ペーチを経て、セルビアの名門パルチザン・ベオグラードへ移籍。プレドラグ・ミヤトビッチとはここで親友になる。セルビアのスボティッツァ、エスニコス（ギリシャ）、アルメリア（スペイン）を経て、97年に移籍したオーストリアのシュトゥルム・グラーツでイビツァ・オシムとの邂逅を果たす。

それまで、2部リーグ、3部リーグのチームで燻（くすぶ）っていたどこにでもいるような選手だったが、このボスニア人の名将との出会いから、劇的に運命が変わった。

「チームでは私が一番叱られた。『お前が一番下手くそだ』『お前は何もできていない』。彼は私の性格を見抜いていたんでしょう。そこで反発して奮起する気持ちを引き出してくれた。私はオシムに出会って、30歳を過ぎてからサッカーが上手くなったのです」

プロにはなれた。そこそこメシも食えた。それで満足し、終わりかけていたと思っていた現役の後半から、思わぬ上昇曲線を描くことになった。言葉を続ける。

「まさか自分がチャンピオンズリーグに出場できる選手だとは思ってはいなかった。しかし、シュワーボ（オシムのニックネーム）がチームの指揮を執ってくれたおかげでそれが実現できたわけです。夢のようでした。そして、その舞台で私は、ロナウド、サモラーノ（共にインテル）、ミヤトビッチ（レアル・マドリード）、ヨーク（マンチェスターU）、こういう選手をマークして無失点で抑えることができたのです。それでもシュワーボからは褒められたことは一度もありません。上を見続けないと停滞することを彼は知っていたのです」。ポポが練習中にかなり厳しい言葉で選手に接するのを見ていたが、その原風景が分かった気がした。

彼の民族的苦難について話を戻した。

——コソボから家族が追われたのはやはり99年ですか。

「いいえ、少し前の98年の夏です。正確に言うと7月」

——ではフランスＷ杯の直後ですね。自分は同じ年の6月にＫＬＡの解放区に入りました。当時はセルビア治安部隊との局地戦が頻繁に行われていました。

「でも当時の私達には正確な情報がなかったのです。だから、自分たちがどれだけ危険にさらされているのかということを全く知らなかった。この7月にＫＬＡが、都市部に攻めてくるかもしれないという噂が広まってきました。ある日、私の弟がまさにペーチの家から出たときです。１００ｍ先の物陰からテロリストが発砲してきました。そこから2時間くらい警官隊と銃撃戦になったのです。民間人も関係なしに狙われました」

©アフロ

シュトゥルム・グラーツ時代のオシムとポポビッチ。チャンピオンズリーグの前日練習。

当時、ポポビッチはシュトゥルム・グラーツの夏季合宿の最中だったが、一報を受けるとすぐさま母親に、家を出るよう説得した。

「電話も通じなくなってきたので、コソボに繋がる人を経由して母に伝言しました。24時間以内に家を出ないとダメだ。こういう状況だから……家具とかは持たずにとにかくナイロンケースに入れられるものだけ入れてすぐに逃げて、と伝えました」

母親はセルビア北部スボティッツァの知人を頼って家を出た。この判断が正しかったことはその後のペーチの惨状を見れば証明される。

「ユーゴスラビアのサッカーがなぜ独創的でアイデアに溢れているのか？　バルカン半島では遺産相続は意味がないと言われています。なぜなら二代と平和が続かずに、戦争が起きてなくなってしまうからです。だから何ごとも一代で作りだすしかない。自分で何とかするしかない、という考えが私たちには刷り込まれているのです」

ゴラン・ブレゴビッチが作ったメセチナ（月の光）という曲についてしばし語らった。『明日のことは誰も知らない』と歌うあの曲は、永遠のものなど何もないことを知っているバルカンの人間にとっては、いつもそのメンタルに沁みる名曲である。

ポポはこのやりとりの後、07年10月にサンフレッチェ広島を離れてセルビアに帰国した。当時の広島は、柏木陽介や槙野智章ら、後に日本代表に名前を連ねる若い才能が台頭してきたところだった。「良い指導者なのに、Jリーグにとってももったいないな」というのが、私の率直な感想だった。ポポの熱い性格と前向きな気性に好感を持った私は、彼がヨーロッパに戻ってからも継続して連絡を取り合っていた。「ズラティボルで監督をやることにしたよ」。ある日の電話でそう報告を受けた。帰国したセルビアでオファーを受けたと言う。それは母親を避難させた北部の町、スボティッツァのクラブ、スパルタク・ズラティボルだった。「見せてもらった映像でコソボのことを思い出したよ。やっぱり自分の原点だ。近々、親父の墓参りに行こうと思う」。しかし、動きだした時代の歯車は止まってくれない。ポポがセルビアに帰ってから、約4カ月後、２００8年2月17日、コソボはついに「コソボ共和国」としての独立を宣言する。翌18日には、後ろ盾である米国が即座にこれを承認した。言うまでもなく、宣言と承認は織り込み済みであった。

しかし、他の国々の反応は鈍かった。ロシア、中国、スペイン、ギリシャ、キプロス、ルーマニア、ブラジル、チリ、インド、イスラエル、等々、自国内で民族問題を抱えていたり、その独立のプロセスに疑義を呈す国（アルゼンチンなど）は承認をせず、国連加盟国の半数近くが拒否を表明した（２０２２年現在で１１４の国が承認、82カ国が不承認）。

国際法上の問題がまず指摘された。国連安保理決議１２４４では、国連統治を認めつつもコソボはユーゴ（＝セルビア）の領土であると、明確にしたままであった。またも米国主導の横紙破りとも言えた。

こういうときは、必ず現場に行くようにしている。米国がコソボの独立を承認した直後に、バルカン半島に向かう格安チケットを購入した。

2―2008年　コソボ独立

「コソボはセルビア」

セルビアの首都ベオグラードで買い求めたサムソン製の携帯電話は、ＧＰＳで常に今いる位置を画面に示してくれる。常宿にしているホテル・カシーナにいるときはテラジエ、サッカークラブのパルチザン・ベオグラードで取材しているときはゼムンといったように、移動するたびに正確な地名をこまめに表示してくれていた。

ところが、２００８年2月21日17時には、その機能が放棄されてしまった。ベオグラードでコソボ独立反対集会が始まると同時に、セルビア全土で携帯の表示が一斉に同じ絵面に切り替わった。位置表示の代わりに表れた文字は「KOSOVO JE SRBIJA（コソボはセルビア）」。絶対に独立を認めないという政治スローガンだ。私は背景も歴史も異なる事象を「日本で言えば～のようなもの」と安易に図式化して解説することがあまり好きではないが、あえてそうするならば、日本中のスマホの画面が「尖閣諸島は日本固有の領土」と変わったようなものだ。もっとも、セルビア人におけるコソボに対する意識は、一般的な日本人における尖閣諸島へのそれとは比べ物にならない。実際に同胞が暮らすコソボは尖閣諸島のような無人島ではないし、固有の歴史的建造物やセルビア正教の源があるという点で言えば、日本人にとっては正倉院や御所のある奈良や京都のようなものである。

セルビア政府はＧＰＳの機能をいじってまで、この集会を成功させようと必死になった。それはまさに国策集会だった。この日は1日中、公共交通機関の市電も電車もバスも無料開放して、デモが行われるベオグラードへの集結を呼び掛けた。

民族主義派の政党であるセルビア急進党とセルビア民主党が主導した催しであるがために、リベラル派であるタディッチ大統領の民主党は直前になって集会への参加を取りやめたが、その民主党にしてもコソボ独立に反対する姿勢は一貫している。

民主党だけではない。「それがＥＵ加盟の足かせになるくらいならば、コソボ独立を容認する」と唯一、現実路線を訴えていたリベラル政党のＬＤＰですら、「現状、拒否しなくてはならない」との声明を出した。

集会は、コシュトニッツァ首相の演説で幕を開けた。周辺のセルビア友好国である二つの地域、ボスニアのセルビア人共和国（スルプスカ共和国）のドディック議員とモンテネグロのポポビッチ国民党議員が続いた。スピーチをしたのは政治家だけではなかった。

陽が沈み、国会前の特設ステージに照明が入ると、98年、02年のバスケットボール世界選手権連覇の原動力となったデヤン・ボディロガが、その長身を現わした。ＮＢＡ（北米プロバスケットボールリーグ）でドラフトされながら、それを拒否した世界で唯一の選手である。かつてファンから「♪私たちには神がいる、その名はボディロガ〜♪」と唄われた欧州バスケット界のスーパースターは、２メートル5センチの巨体を揺らし、「私はこれまで一切、政治的な発言をしてこなかった。しかし、今回ばかりは違う。こんな暴挙には声をあげる」と訴えた。

続いてはテニスの世界ランキング3位（当時）、ノバク・ジョコビッチがビデオ出演した。試合会場では、マリア・シャラポワのモノマネやひょうきんなインタビューの受け答えで観衆を沸かすジョコビッチも、この時ばかりはシリアスな顔を崩さない。「コソボの地位は、セルビアの領土だ」と繰り返す。

ＶＴＲが終わると、ざわめく間もなく、大きな歓声が上がった。エミール・クストリッツァ監督が登壇したのである。『パパは出張中！』『アンダーグラウンド』でカンヌ映画祭において二度のパルムドールを授賞した男はマイクに向かうと、セルビア悪玉論に加担した西側メディアに対する痛烈な批判を放った。

「今夜、ネズミはどこにいる？　小さなカネをもらって嘘をついているネズミはどこにいるんだ？」

ステージ上に備えられた巨大スクリーンに映しだされた鋭利な眼光の映画監督は、戦争広告代理店ルーダー・フィン社との関係で有名になった米国ネットワーク局ＣＮＮを、ネズミと呼んだ。

ベオグラードでのコソボ独立反対集会。セルビア人市民がベオグラードに集結。抗議デモは夜まで続いた。

「遅れたセルビアの文明はヨーロッパの文明ではないというヤツがいる。冗談ではない。セルビアが生んだミルティン・ミランコビッチ（地球物理学者）、イヴォ・アンドリッチ（ノーベル賞作家）の知性を見ろ。そしてここにいるボディロガは世界に誇るスポーツのスターだ。これだけの人材がいる。文明への入場券なら我々は十分持っている。コソボの伝説を馬鹿にするヤツがいる。しかし、そういうヤツらはハリウッドの馬鹿げ

陽が沈むと、ベオグラードの国会前の特設ステージではセルビア出身の著名人が次々とコソボ独立反対のメッセージを寄せた。

た伝説を信じている」

　クストリッツァは、修辞的な言い回しで批判を続ける。

「2月17日の次は18日が来る。しかし、私のカレンダーは（独立宣言があった）17日で止まっている。新しいカレンダーを作らなくてはならない。それはいつまでに？　それはコソボが自由になるまでに！　この20年を振り返ってみよう！　我々（セルビア人）は『民族浄化』の民と呼ばれ、クリントン政権はコソボとベオグラードを空爆した。20万人のセルビア人は避難を余儀なくされた。民主主義の悲劇として、我々は我々の大統領の首を差し出さなくてはならなかった。そしてそれを実行した首相も西側に殺された。もう黙ってはいられない。私たちは新しいカレンダーの18日を待っている！」

　ウォーッという絶叫が聴衆から巻き起

こった。爆竹とロケット弾がさく裂する。

カンヌ、ベネチア、ベルリン、世界三大映画祭の全てで最高賞を受賞した映画監督は、ここで暗喩を込めて、セルビア民族にとって忌まわしい過去の出来事を掘り起こしたのだ。

NATOの空爆が終結後、ミロシェビッチ前大統領を、ほとんどのセルビア国民が国内法で裁くべきだと主張していた。紛争の罪、他民族に対して犯した人道の罪は、かつて選挙でミロシェビッチを選んだ自分たちが裁いてこそ、未来に繫がる。ところが、01年3月、いきなり米国が5000万ドルの援助金を拠出することと引き換えに、オランダのハーグにあるICTY（旧ユーゴスラビア国際戦犯法廷）に引き渡すことをセルビア政府に要求してきた。セルビア人のICTYに対する一般的評価は「戦勝国が一方的に裁く不公正な法廷」というものである。私が日本人だと分かると、彼らは異口同音に「ICTYはトーキョー（東京）裁判と一緒なのだ」と言う。長らくこのICTYを調査研究して来た長有紀枝（おさゆきえ）（立教大学教授・難民を助ける会理事長）によれば、「ICTYは元々、国連によってセルビア戦犯を裁くための司法機関として設立されました。だからこそ他民族とのギャップが大きいのです。訴追された被告の数を民族比で計算すると、圧倒的にセルビア人が多いのも事実です」。

実際の判決結果においても、不公正な結果が出ている。アンテ・ゴトビナというクロアチアの将軍がいる。ゴトビナは通称オルーヤ（嵐）と呼ばれる民族浄化作戦で、クロアチアから分離独立を宣言したクライナ・セルビア人共和国の民家を焼き払い、約20万人のセルビア人を追い出し、少なくとも150人を殺害したとされている。一度は逮捕され、人道に対する罪で2011年に懲役24年の判決が下されたが、翌年の2審判決では、これが無罪にされている。これにはゴトビナ本人も驚いたという。結果論ではなく、長教授が言うように、設立当初から明らかにセルビア人には不利な法廷に差し出すわけにはいかないというのが大多数の国民意識であった。

ところが、この「ミロシェビッチをICTYに送れ」という要求を、ジンジッチ首相（当時）は国民世論どころか、他の閣僚さえ無視する形で受け入れてしまった。コシュトニッツァ大統領さえ、報道で初めて知ったというほどに、その逮捕劇は不意打ちで行われた。01年3月31日、私は偶然、逮捕のために大統領官邸に突入する警官隊とそれに抗議する市民の衝突現場にいた。当時のデモの参加者から拾った声を思い出すと、意外なことに反ミロシェビッチの市民が多かった。

「俺は選挙はDOS（ミロシェビッチに対抗するセルビア民主野党連合）に投票したし、ミロは大馬鹿野郎だと思っている！　しかし、大国にカネ（5000万ドル）で釣られて元大統領の首をハーグに差し出すというのは、我慢ならない」

地方から、一昼夜かけて官邸前に駆けつけたという老人は、「ミロシェビッチは自らの手で断罪してこそ、未来に繋がる」と言いながら「ミ・ニスモ・ツルビイ（我々は虫けらではない）」というプラカードを掲げていた。

しかし、この抗議運動も空しく、ミロシェビッチはICTYに引き渡されて、獄死している。クストリッツァが「それを実行した首相も西側に殺された」と言うのは、ミロシェビッチ逮捕を決行したジンジッチ首相も暗殺されたことを指す。ジンジッチは戦犯を差し出せ、という西側の圧力との板挟みになったあげく、民族派のマフィアに殺されたというのが、大方の見方である。

クストリッツァの登場は、集会をさらに活気づけた。

「コソボはセルビア民族発祥の地」という伝説が事実か否かではなく、そこを聖地として育ってきた民族的矜持の拠り所になっていることは動かしがたく、他国の領土になってしまうのは、許せないのである。コソボの問題は、よく並列で語られるユーゴスラビア連邦崩壊時のクロアチアやスロベニアの分離独立とは、根本的に性格が異なるのだ。セルビア人たちは過去、クロアチアやスロベニアを連邦内領土とは思ってはいても、自分の土地と思ったことはない。しかし、コソボの場合は連邦からの分離ではなく、土地を奪われるという認識である。独立はアイデンティティの喪失に直に繋がる。

合意のプロセスを踏まない独立

この独立宣言に至るまでの地位交渉の過程を6年前から少し辿ってみる。

2002年に当時の国連バルカン特使（1991〜2001）カール・ビルトは、コソボ独立の条件を8つあげていた。それは「人々の移動の自由と安全」「法の支配」「機能的な民主機関の設置」「少数民族の諸権利の保障」「難民の帰還」「経済成長」「財産の保障」「ベオグラードとの対話」である。そのうち水準を満たしていたのは2つ「経済成長」「ベオグラードとの対話」しかなかった。コソボから追われたセルビア難民23万人の内、帰還したのは1万5000人。全体のたった5％でしかない。

しかし、それらが整う前、07年には、国連事務総長特使のアハティサーリ（前フィンランド大統領）が、ニューヨークでセイディウ・コソボ大統領とコシュトニッツァ・セルビア首相を前に「独立」の勧告を行った。

その後、テーブルに着くたびにセルビア側は、コソボはセルビア領土内の自治州であるという国連安保理決議1244を前提に、妥協策を練って提言する。交渉に挙げたのが、中国における香港のような一国二制度モデル。もしくは、イタリアにおいて特別自治州になっている南チロルのモデルなどだ。そう、松尾製菓のチロルチョコの語源となった地域は、イタリアに属しながら、ドイツ系住民が

７割を占めているので、ドイツ語が公用語とされ、文化的自治が認められている。政治的な妥協はいくらしてでも文化遺産のある地域は何とか、自国領土内としてとどめたいという切望の現れである。ところが、結局は米国の「独立承認」のひと声で、全て吹っ飛んだ格好である。

合意のプロセスを踏んでいないのは、２００６年春に静かに独立したモンテネグロのケースと比較してみれば顕著だった。モンテネグロの場合は、まず２００３年にセルビア・モンテネグロという連合国家体制を取り、３年かけて準備を図り、最後は住民投票で決を採った。しかし、コソボの独立は、大国アメリカの承認で一方的に行われた。だからこそ、セルビア人の怒りは当該対立民族であるアルバニア人やアルバニア大使館ではなく、米国に向かったのだ。

「ピチカ（くそったれ）、アメリカ！」「くそったれ、ＮＡＴＯ！」。広場での集会は、集団ヒステリーの様相を呈し、最後はあちこちから沸き起こる怒号の中で終わった。しかし、ここで解散とはならず、群衆はデモ行進に移行していった。行き先は言うまでもない。米国大使館である。

集会の最中から、星条旗を燃やすアクションが散見された。反面、独立を承認しない国、スペインやブラジル、ルーマニアの国旗を打ち振るグループも現れた。騒然とした空気は隊列を支配し、否が応でもナショナリズムを刺激する。並走してカメラを向ける私が肌の色からアジア人と分かると、「ヨーロッパに来るな！」「ヨソ者は出て行け！」という罵声が飛んでくる。群衆は暴徒へと変わっていった。

セルビア映画の『バーバリアンズ』（イヴァン・イキッチ監督）ではルカという主人公の友人たちが、このコソボ独立反対デモに参加してただただ暴れ回るシーンが出てくる。鬱屈した日常の中で贔屓のサッカーチームを応援するだけが楽しみという本物のフーリガンを役者に使っただけあって、極めて

（左）米国大使館に火炎瓶が投げられ、火の手が上がった。セルビア人の怒りは、アルバニアよりも米国に向けられた。（右）公衆電話ボックス店の、ショーウインドウのガラス、装飾物までが粉々に破壊された。

リアルに再現されていた。

暴徒の行進は「ピチカ、アメリカ！」（くそったれ、アメリカ！）「ウビ、シプタル！」（アルバニア人を殺せ）、「ウビ、ノビナル」（ジャーナリストを殺せ）と叫び続ける。国策デモであるから、何の規制もなくむしろ警官も煽り続ける。メインストリートも歩道も使い放題だ。警察権力が暴れることにお墨付きを与えたわけであるから、ここまでくると、もう歯止めが効かない。視界の片隅にカメラを構えていた外国の記者が集団に襲われるのが見えた。別の一団は、公衆電話ボックスを蹴り、ガラスを粉々にしている。「ガシャン！」「ガシャン！」という破裂音が断続的に鼓膜を揺さぶる。2月17日の独立宣言以降、ベオグラードでは連日、米国に関連する建物が次々と襲われた。マクドナルドは真っ先に標的にされて、ショーウィンドウから店内の装飾物まで徹底的に破壊された。マック（関西名マクド）はあくまでもアイコンとしての米国でしかなく、店の従業員も客も全員セルビア人であるから、やられる側はいい迷惑である。

脇からソフトモヒカンの男が、火のついたタバコを飛ばして挑発してきた。私は小刻みにポジションを変えながら追走し、カメラを回した。やがて、暴徒と化した集団と共に米国大使館前に到着した。発煙筒の煙が目に沁みる。すでに米国職員たちは避難していた。ここからシュプレヒコールが始まると思ったが、そんな穏健なものではなかった。いっせいに投石が始まり、イーグルサムのガラスの割れる音が響いた。つんざくような罵声と破裂音が間断なく続く。

やがて、火の手が上がりだした。火炎瓶が投げられたのだ。燃え盛る炎は、黒夜を照らし、さらに集団を興奮させた。気がつけば、私の他にも何人かのプレスが周囲でカメラを回している。「殺せ、殺せ！」という怒号は当然、外国のカメラマンにも浴びせられる。三脚を運ぶ助手らしい男の表情は、何とも辛そうで苦々しく歪んでいた。彼の心中をおもんぱかれば、この国に対してどんな感情を持つか容易に想像できる。まさに「なんだこのバーバリアン（野蛮人）が！」だ。セルビア政府はこの時、国民感情とナショナリズムを煽り、治安を敢えて放棄していた。極めて愚かである。大国のエゴによる一方的なコソボ独立に反対するのならば、冷静に迫害を受け続けるコソボ在住の少数者たちの惨状を伝え、粛々と、地位交渉のプロセスにおけるその「理」を説いて、外国メディアに訴えるべきであった。しかし、これではただの反米デモと認識される。ジャーナリストも人間である。イラクにせよ、アフガニスタンにせよ、巨大な国から攻撃を受ける側の市民には通常、大きな憐憫を持ちうるが、こんな排外の仕打ちは何の同情も共感も持ちえないだろう。

これが一夜明けて、ひとつの紙面で、独立に湧く祝勝ムード満載のプリシュティナ（コソボの州都）と憎悪に満ちた目で大使館を焼き払うベオグラードの記事と写真が併記されたら、読者はどう思うだろうか。セルビアの外交下手、度し難いほどのメディア対策の稚拙さは、この日も相変わらずであった。

投石は明け方近くまで続いた。襲撃の対象になることを恐れてタクシーは、もちろん走っていない。

ふらふらになりながら、這うようにしてホテル・カシーナまで戻った。

翌日、ベッドから無理やり身体をひきはがしもう若くない足腰にムチを打って市内を歩いた。まさに台風一過。昨夜の破壊の残滓が至る所で見られた。確認してみると、標的にされた大使館は、米国だけではなかった。トルコ大使館は、オスマントルコの侵略以来の怨念の爆発か、特に酷かった。独立を承認したスロベニア大使館とスロベニア資本のデパート、「メルカートル」のガラスも叩き壊されていた。一方でセルビアの学者やアカデミシャンの中からは、暴徒の逆上を諌めるように、冷静に分析する動きも出てきた。

報道された中で、「興味深い記事があるよ」と、モンテネグロ人の古い友人、プレドラグ・ステヴォビッチ（現FKアドリア監督）が、教えてくれたのだ。

ベオグラード経済大学のリュボドラグ・サビッチ教授が、コソボ内にはセルビアの会社が約1358社あり、土地や不動産を含めて約1・5兆ドルの資産があると換算していた。更に、チトー時代からセルビアがコソボに援助した費用が5・5兆ドル、追われた難民の資産約4兆ドルがあるという。独立すれば、これらを全て失ってしまうのだが、サビッチ教授は、「コソボはセルビアの聖地」と神話の世界に遡って声高に叫ぶだけではなく、このようなことを訴え続けるべきだと主張する。より現実的な意見と言えようか。ここで付け加えるならば、セルビアがミロシェビッチ時代にコソボのアルバニア人たちに行った蛮行の検証も自らの手で行い、国家としての自浄作用も国際社会にアピールすべきだろう。

米国が強引に後押しをしたこのコソボ独立についての国際的な見解を漁ってみると、まずソ連の元大統領、ペレストロイカで東西冷戦を終わらせたゴルバチョフが、「今回、危険な前例を作ってしまった」と批判していた。アルバニアという本国があるにも関わらず、第二アルバニアとも言うべきコソボを独立させてしまったことの危険性を説いている。

懸念を漏らした中には、西側の軍人もいる。

イタリア人でＮＡＴＯ軍の南欧部司令官だったファビオ・ミニ将軍は、「今回の独立は明らかな国際法違反であることと同時に、世界各地での不安定要因を、ドミノ現象のように導くだろう」とコメントした。更にはユーゴ紛争時には東方正教のセルビアとは対峙するスタンスをとっていたカトリックの総本山、バチカンまでが、コソボの一方的独立宣言を非難した。

独立宣言を受けて、すでにＵＮＨＣＲ（国連高等難民弁務官）は、コソボから非アルバニア人が追い出されて難民として（もはや国内避難民ではない）大量流出することを想定している。ＵＮＨＣＲの広報官は、既に受け入れ能力の限界を迎えているセルビアのクラリェヴォやクラグェヴァツなどの施設に多くの難民が流入すれば、極めて深刻な事態になるという予測を発表した。前述したように、コソボ首相、ハシム・タチ（独立宣言当時）はかつてセルビア人を虐殺、追放していたコソボ解放軍の司令官である。排外主義に拍車がかかるのは、火を見るよりも明らかだった。実際に難民の流出は増え続けるのだが、これらの警鐘はコソボ独立の祝福ムードにかき消された。

再会

ベオグラードでの反対集会を取材した翌々日に、スボティッツァに向かった。ランコ・ポポビッチは何を思うのか。ベオグラードから約２時間、北部の都市ノビサドまでバスで移動し、そこからタクシーを飛ばした。グラウンドに着くと、ちょうどズラティボルの練習を指揮しているところだった。ズラティボルは下部リーグの所属ではあるが、1部昇格に向けて躍進中であった（結果的に09年にはトップリーグに昇格）。

ポポの指導はいつも通りだった。ミスをした選手を指弾し、怒鳴り上げ、そして力いっぱい、抱きしめる。こちらに気がつくと、右手を上げて、「どこでも好きなところで見ていてくれ」と言った。「〝非公開練習〟など、ありえない。練習メニューはすべてのフットボーラーたちにとって共有すべき財産だから、誰にでも見せるべきだ」というオシムの教えを忠実に守っている。

ボールタッチを限定してのハーフコートのミニゲームで、アジリティ（敏捷性）を伸ばす意図が読み取れた。アイデアのあるプレーには「ブラボー！」と必ず称賛の声を上げる。

見応えのある練習が終わった。シャワーを浴びる時間を待ち、促されるままにカフェに入った。セルビア北部のスボティッツァは場所柄、オーストリア・ハンガリーの文化圏で、いわば小ウィーンである。小じゃれた店が多く、オスマントルコの影響が色濃く残る質実剛健な南部のコソボとは対照的だ。

トニックをオーダーしたポポは小さく笑った。「なんでこの時期に私に会いに来たのか、簡単に想像はつくよ」。悲嘆にくれることもなく、淡々と宿命を受け入れていた。「私も母も兄弟も、あの土地に行くことは、限りなく困難になった。ただ私たちがあの地に存在していたことを、世界の人々は覚えておいて欲しい。そして祖先が作り上げてきた文化遺産については、これが未来永劫破壊されることなく保護されて欲しい」との言葉を発した。

ひとつの地域が独立を果たすと、民族自決の大義の下で、報道はご祝儀のように歓迎ムード一色になる。しかし、そこに暮らす少数民族はさらなる抑圧を受ける。ポポは、「これでもう親父の墓参りはあきらめた」。もう何年も前から、自らの運命を諦観しているかのようだった。

ポポビッチの日本再来

帰国した私は、その年の08年11月にナビスコカップを制することになる大分トリニータを追っていた。自治省（現総務省）のキャリア官僚だった溝畑宏（現大阪観光局理事長）が大分に出向した際、２００２年の日韓W杯招致のために創設したこのクラブは、母体となる責任企業（親会社）を持っていなかった。溝畑は、自らの陰毛を燃やす裸踊りを披露するなどのどぶ板営業でスポンサーをかき集めた。強引にゼロから立ち上げた地方クラブは、県リーグから出発して15年で全国制覇という日本サッカー史上初の大きな快挙を成し遂げていた。ところが、シーズンが変わった09年になると、さっぱり勝てなくなった。前年度のカップ戦を制し、リーグ戦も4位でフィニッシュしていよいよＡＣＬ（アジアチャンピオンズリーグ）を狙おうかという位置にきたチームが、この年は6月の中断期間まで実に10連敗を喫していた。春先のキャンプの失敗と監督シャムスカのリアクションサッカーが研究されたことがその要因であったが、シーズン中の修正もままならず、深刻な事態に陥っていた。13節が終わった段階で勝ち点は4で、ダントツの最下位であった。シャムスカはクラブに初タイトルをもたらした功労者ではある。しかし、さすがに勝ち方を忘れて苦しんでいるこのあたりで指揮官を変えなければ、早々とJ２降格が決まってしまう。

溝畑は、クラブを作ってしまった責任をとる形で、官僚を辞めてトリニータの社長になっていた。もとより天下の奇人である。一度、胸襟を開くと、オープンになって何もかも話すところがある。食事をしましょうと誘われて、大分県庁前の郷土料理の店「こつこつ庵」に入って、名物の琉球といいちこを合わせて楽しんでいるときだった。「シャムスカの後任は、カッパ黄桜を考えとるんですわ。どう思います?」溝畑は風貌であだ名を付ける。言っているのは、2008年まで浦和レッズの監督をしていた髪の薄いドイツ人、ゲルト・エンゲルスのことである。カッパ黄桜って、一歩間違えば、ハゲヘイトであるが、言っている溝畑もハゲだから良いのか……。

「うーん」返事に窮した。日本での実績も豊富で、京都サンガ時代は朴智星や松井大輔を率いて天皇杯を制覇したこともある。しかし、私には浦和レッズを率いた08年当時の印象が芳しくなかった。エンゲルスはJリーグを知る分、相手も研究しているだろう。何より、若く才能のある選手が多い当時の大分トリニータにチームとしての大きなポテンシャルを感じていた私は、それではもったいないと思った。Jリーグには新鮮味が必要だ。

溝畑は「この状況から立て直すには誰がええですかね?」と単刀直入に聞いていた。2部降格を座して待つわけにはいかない。後任についての意見を求められてから私は初めて口を開いた。「1人いる」。ズラティボルでの公式戦で見たポポのチームが忘れられなかった。シーズン中でもキャンプのようなフィジカルトレーニングで徹底的に鍛えられた選手たちは、前線からの速く勇敢なプレッシャーでボールを刈ると、集団で相手ゴールに襲い掛かっていた。

大分はユース出身の西川周作、清武弘嗣、東慶悟、さらには森重真人といった若い選手が育っていた。彼らが運動量とアイデアが求められるポポのサッカーにフィットすれば、面白いチームができあがるのではないか。鹿児島実業で選手権優勝を経験し、今は社長室のスタッフになっている豊東(ぶんど)和夫の運転する車の中から、久しぶりにポポの携帯に電話をかけた。本人がすぐ出た。ヨーロッパのシーズンが終わり、バカンスで今、スペインにいるという。「ランチを食べて、今はプールサイドだ」「それはうらやましい。ところでJリーグに興味はまだある?」。迷いのない声が返ってきた。「あるよ。広島での体験はとても有意義だった」。私がしたのはそこまでだった。溝畑と原靖強化部長にポポの連絡先を教え、あとは彼らの判断にゆだねた。その後の詳細は拙著『爆走社長の天国と地獄』（小学館新書）に譲るが、セルビア1部リーグのオファーを断り、09年のシーズン途中から再来日したポポビッチは、14連敗を記録して降格危機にあった大分トリニータの指揮を執り、劇的にチームを変貌させた。

選手の顔と名前を事前に覚えてきた指揮官は、いきなりオールコートでの1対1、5対5というハードな練習メニューを課した。フィジカルを作り直すことと同時に、連動したプレスでボールを奪いに行く戦術を徹底させた。相手の分析をしてそれに対応するのではなく、自分たちのサッカーを作り上げる。明日はどうなるか分からないコソボ生まれのセルビア人として、「生ある限り美しいサッカーの創造にこだわりたい」という哲学そのままであった。

最初は厳しい要求に選手もついていけず、DFの深谷友基は練習中に、「この高度なサッカーはうちには向いていない」と直訴してきた。しかし、ブレることのない指導は結実した。

8月1日のホーム初采配では、ストイコビッチ監督率いる名古屋グランパスを相手に残り4分のロスタイムで逆転した。2点目は当時18歳ルーキーの東が抜擢に応えたものだった。快進撃はここから始まり、ポポは終盤10試合連続負けなしという結果を出した。大分の選手たちは、キャプテンのミスター・トリニータ高松大樹（現大分市議会議員）を筆頭にして「ポポに出遭ってサッカー観が変わった」と異口同音に言葉を発した。しかし、いかんせん着任したタイミングが遅すぎた。降格は避けられなかった。それでも美しく攻撃的なサッカーを標榜して完遂しようとするその姿勢は、広く日本のサッカーシーンに知られるところとなった。強化部も高松キャプテンはじめ、選手たちもチームを変えてくれた新監督の契約の延長を望み、ポポもまた減俸を申し出て続投を望んだが、債務超過を起こしたクラブの経営的な事情から、継続とはならなかった。

しかし、そのポジティブなサッカーに大きな評価を得たことで、ポポはJリーグで途切れることのないオファーを受け続けることになる。11年に町田ゼルビア、12年〜13年にFC東京、そして14年にセレッソ大阪。一度日本を離れた後に、スペインの名門レアル・サラゴサからの誘いを受け、同クラブではメキシコ人のハビエル・アギーレ（元日本代表監督）以来のスペイン国籍を持たない監督としてその任に就いた。サラゴサにおけるここ10年で最高の成績（プレーオフ進出）を修めたあとは、タイ、インド、オーストリアのクラブを経て、20年、9年ぶりに来日し、J2町田ゼルビアで3年間采配を振るうことになった。07年にジェフ千葉でオシムの息子アマル・オシムを支えていた唐井直GMからのオファーだった。残念ながらJ1昇格はならず、22年に契約満了で退団となった。必ずしも結果が伴うスタイルではない。しかし、私はポポの攻撃サッカーを見るたびに、二度と戻れない父祖の土地について語っていた、あの羽田での覚悟の表情を思い出す。

22年10月、離日前のポポに会いに行った。こんな言葉を彼は残した。

「ここ数年のコソボの紛争について言えば、我々は互いに殴り合いをさせられてきた。セルビア人もアルバニア人も傷ついてきたが、腹立たしいのは、遠い所で殴り合いをさせているヤツが最も得をしているということだ」

第2章 黄色い家　臓器密売の現場　2013年

スボティッツァ
ボイボディナ自治州
ルーマニア
ノビサド
ベオグラード
セルビア
ニシュ
モンテネグロ
ペーチ
ミトロビッツァ
プリシュティナ
コソボ
ブルガリア
ポドゴリッツァ
ブヤノバツ
プリズレン
シュコダル湖
シュコダル
スコピエ
ブーレル
北マケドニア
黄色い家
リューペ
ティラナ
アルバニア
ギリシャ

1—黄色い家　カルラ・デル・ポンテの告発

拉致被害者3000人　臓器密売の実態

ＮＡＴＯ軍による空爆によってセルビア治安部隊が撤退した後、コソボにおける拉致被害者が増え続けていたことは前章でも書いたが、私が最初にそれをリアルに知ったのは、２００1年6月のことだった。場所はベオグラードでコシュトニッツァ・ユーゴ大統領（当時）がＵＮＭＩＫ（国連コソボ暫定統治機構）のハッケル副代表と会合を行っている大統領府前であった。国連の車両を囲むように座り込みを続ける１００人ほどの集団を目撃したのである。

一団はさらわれた家族を探して欲しいと、ユーゴ政府とＵＮＭＩＫに直訴にきていたセルビア難民だった。ＫＬＡ（コソボ解放軍）によるセルビア人拉致誘拐事件は、治安を維持すべき国連やＫＦＯＲ（コソボ治安維持部隊）が駐留している中でも、解決するどころか、逆に増え続け、この２００1年段階で国際赤十字に提出された被害者名簿には、約１３００名の名前が記されていた。単純計算すれば、およそ2日に1人が行方不明になったことになる。私はその日より遺族たちからの聞き取り調査を開始し、被害者たちがどのように姿を消されたのかを書き起こした（『終わらぬ民族浄化』集英社新書）。

拉致されたのは医師、学生、農民、主婦などほとんどが民間人であった。コソボ紛争においては中立的な日本の記者であるが故に（ＮＡＴＯ加盟国の欧米諸国の記者は親アルバニア、ロシア・中国の記者は親セルビアと見なされて対立民族の居住地域への越境は困難であった）移動の自由が比較的効く利点を活かしての追跡取材も進めたが、杳（よう）として被害者の行方は知ることができなかった。

拉致被害者におけるひとつの真相が明らかになったのは、08年の春のことであった。一冊の本が出版されたのである。タイトルは『La Cassio. Io El Crimirali Di Guerra』（『追跡、戦争犯罪と私』）、著者はＩＣＴＹ（旧ユーゴスラビア国際戦犯法廷）の国連検事を務めたカルラ・デル・ポンテである。デル・ポンテは１９４７年生まれのスイス人女性で、司法の道に進むと81年にスイス南部のイタリア語圏に位置するティチーノの検事になった。ここで主にマフィアの麻薬密売、資金洗浄、暗殺などの犯罪の取り締まりに注力したが、相手が反社会勢力だけに妨害は熾烈を極めた。共に仕事をしたイタリア人裁判官ジョバンニ・ファリコーネはマフィアによって爆殺され、デル・ポンテ自身も自宅に爆弾を放り込まれるなど、暗殺の標的にされたが、テロに屈しない毅然とした姿勢を貫いた。それが評価され、司法長官として5年勤務したのち、99年にＩＣＴＹの検事に任命されていた（２００7年末まで同職）。

©時事通信フォト

圧力に屈せずコソボのセルビア人拉致事件を追及したICTYの国連検事カルラ・デル・ポンテ。

セルビア人たちはＩＣＴＹについては、「戦勝国がセルビアの戦犯のみを一方的に裁く裁判所」としてその権威を信頼していないが、それは裁定の部分であり、検察であるデル・ポンテは民族で差異を付けずに、戦犯の調査には公正を期してすべての民族の戦争犯罪者を訴追している。この不屈の女性検事像を描いたドキュメンタリー映画『カルラのリスト』ではクライナ・セルビア人共和国に対する民族浄化（嵐作戦）を指揮したクロアチアのアンテ・ゴトビナ将軍を逮捕してシャンパンで乾杯する映像が出てくる。

　ゴトビナはクライナの住民約20万人を武力によって追放し、約150人を殺害した後、長く逃亡生活に入っていた。クロアチアはカソリックが国教であり、西欧の教会勢力がゴトビナの逃走を手助けしたとも伝えられており、デル・ポンテは「バチカンが戦犯を匿っている」と敢然と批判している。ゴトビナは偽造パスポートを使ってスペインのカナリア諸島に潜伏していたが、このデル・ポンテの執念によって2005年12月に逮捕された（ただこれも1章で記した通り、裁判では1審で懲役24年の判決を受けるも、控訴審では突然無罪になり、デル・ポンテを激怒させている）。

『追跡、戦争犯罪と私』は、ユーゴ紛争における戦争犯罪を捜査し、訴追し続けてきたそのデル・ポンテの回顧録である。同書の中でデル・ポンテは、KLAがコソボで拉致したセルビア人約3000人をトラックに乗せて国境を越え、アルバニア北部のブーレルという町周辺にあるいくつかの拘束用の建物に監禁。簡易外科医院として整備された施設、通称「黄色い家」に連れ込んで内臓器官を摘出し、外国の富裕層の患者に密売していた事実に関する証言と証拠があった、と発表したのである。

「この情報源の一人はコソボのアルバニア人だが、彼自身が拉致被害者から摘出した臓器をアルバニアのティラナ・リナス空港まで搬送したことを証言した。いわば実行犯であった。腎臓を一つだけ取られた被害者は、傷口を縫われ、再び拘置小屋に戻されたが、すぐに重要臓器の摘出が原因で命を落とした。それで小屋にいた他の拉致被害者も自分たちにどのような運命が待っているかを自覚しておびえきり、中にはすぐに殺してくれるように懇願した者もいたという。また他の二人の情報提供者はこうして殺された遺体を近くの墓地に埋めるのを手伝っていたと証言している。臓器の密輸はKLA

の高級幹部が積極的に関わっていたのである」(『追跡、戦争犯罪と私』より)。コソボ政府の首相はこのＫＬＡの司令官であったハシム・タチであり、首相自らが関与していたことを指摘している。

デル・ポンテの調査が暴く「黄色い家」

この事実を知ったときの衝撃は大きかった。私は「コソボ行方不明者家族会議」通称「１３００人協会」を取材しはじめてからほぼ8年の間、家族の話を聞いてきた。両親、夫、妻、子ども、祖父母……、近しい親族がある日忽然と姿を消し、その喪失感に支配されながら、まだ愛する人はどこかで生きているのではないかと、一縷の望みを持って彼ら、彼女たちはＵＮＭＩＫやＫＦＯＲに生存確認の問い合わせを続けていた。国際機関が来れば、真実の究明に力を貸して欲しい、とデモや集会で訴え続けてきた。しかし、彼らの惨状はほとんどのメディアから無視されていた。

「ＮＡＴＯ空爆後、コソボは平和になった」。この、実態を伴わない言い切りが、ともかく世界中で流通している。無辜なる市民がどれだけ訴えても、ニュースにもされない。その絶望感はメディア不信にも繋がり、足しげく通っていた私にも向けられた。「あなたはこの事実を知らせると言って通ってきた。私たちも協力を惜しまず、すべてを語ってきた。しかし、それでいったい何が変わったのか？」。辛らつな言葉を黙って聞くしかなかった。約３０００人の行方不明者はどこに行ってしまったのか？ひと時も忘れなかったその問いの答えが、国境を越えてアルバニアに連れて行かれ、身体を刻まれ、臓器密売ビジネスの犠牲者にされていたとは。あまりに酷い現実だった。

夫を殺害されたオリベラ・ブラディミール（コソボ行方不明者家族会議事務局長）は、「行方不明者はＫＬＡに臓器を取られて殺されている――そんな噂は確かに頻繁に訊きました。私たちにすれば最も信じたくない噂でした。だから信じませんでした。私たちは真相が知りたかった。しかし、あまりにも酷い真相でした。臓器をお金に換えるために殺されていたなどと」。気が狂いそうだったとフラッシュバックに苦しむ中で述懐してくれた。

デル・ポンテは、この行方不明者家族会議も含む多くの関係者の要請によって、実際にアルバニアに出向き、「黄色い家」の捜査を行って事件の確証を掴むのであるが、本来この調査をサポートすべき、UNMIKなどの国際機関、およびアルバニア検察局が、極めて非協力的で時には妨害までされたことを伝えている。ここでデル・ポンテがどう動いて真実にたどりついたのか。その軌跡を著書に記された彼女自身の言葉と、私（筆者）が調べ上げた事実を合わせて時系列で記してみる。

「カルラは売女!」ベオグラードで受けた罵倒

デル・ポンテはICTY検事として最初のベオグラード訪問を01年1月25日に果たしている。このときに外務省に集まった「コソボ行方不明者家族会議」（以降、家族会議で統一する）のメンバーと面会している。役所の周囲では、拉致の真相究明を求める数百人のデモ隊がプラカードを掲げ、周囲を騒然とさせていた。デル・ポンテはこの会合で「家族会議」より、98年から01年にかけてコソボ内で行方不明になった人々についての説明を受けている。誘拐の実行犯が、知人や友人であったケースも少なくなく、犯人を特定した同会は誘拐に関与した人物のリストを作っていた。そしてそのほとんどがKLAのメンバーであるという証拠を握っていた。「家族会議」は、自分たちで掴んだ証拠をもとに、KLAの政治的指導者であるハシム・タチや司令官アギム・チェクらを、拉致と殺人の責任者としてICTYに告訴してきた。拉致被害の4分の3が、治安維持を目的に結成されたKFORとUNMI

Kが駐留した後に起きており、このコソボ統治の不公正さと、拉致犯罪が野放しにされている件について調査して欲しいとデル・ポンテに対しての要求もなされた。スイス人女性検事は「しっかりと対応する」と約束している。それでもセルビア難民からは、不公正なＩＣＴＹの一味と目されており、ミーティング後、彼女が建物を出ると、「カルラは売女！」というシュプレヒコールが、民衆から浴びせられた。

イタリア・マフィアとも渡り合った経験豊富な敏腕検事は早速捜査に動いた。

「そして1998年と1999年にＫＬＡ兵士が何百というセルビア系住民、ロマ、非服従のアルバニア系住民、その他の民族の人々を拉致したという報告書を検察局は受け取った。報告書は詳細で、拉致被害者たちは足元によどんだ水のたまった地下室、家畜小屋に監禁され、そこであるものはレイプされ、あるものは拷問され、あるものは処刑された。我々検察はＫＬＡ兵士たちがセルビア系住民やロマの家族を先祖伝来の土地から暴力と脅迫によって追い出し、残った人々を殺したという報告、そしてＫＬＡ兵士たちが捕虜を人の盾として使ったという報告を受け取った。さらにレポートには湖畔にあるというＫＬＡ処刑場から拉致された者が生きたまま、一緒にアルバニア本国に送られたと記されていた」（『追跡、戦争犯罪と私』＝以下同）

一方で、デル・ポンテはこれらの犯罪を実行した人間を追及するための証拠や証人を集める上で、他のユーゴ紛争地域とは異なる大きな困難が待ち受けていることに気づいていた。コソボ地域の特殊性と捜査の難しさをこんなふうに書いている。

「暴力、恐怖、貧困は目撃者に沈黙を強いる。旧ユーゴスラビアにおいて最も貧しい地域であったコソボは、2000年代の最初の数年間、暴力、恐怖、貧困に苦しんでいた。このような土地でどのようにして証人を探しだし戦争犯罪を起訴できるというのか？　制度を持たず、ホメロスや古代ギリシャの悲劇作家たちによって描かれた同害刑法という古い復讐の慣例以外に法の支配の概念をほとんど持たない土地で。国連とその他の国際組織が限られたリソースを使って法と秩序を構築するのに大変な苦労をしている土地で」

アルバニア人たちがいまだに法による統治よりも血族主義にこだわり、血の復讐を良しとしている様を表している。KLAに対しては、

「地元の軍事リーダーの多くは、殺人などの罪を犯した下手人を咎めるどころか、英雄であると言って憚らないマフィアであり、彼ら自身が政治権力を求めて対立民族や政敵を撲滅するのに暴力を使っているのだ。コソボは検察局にこれらすべての困難をつきつけてきた」

実際、KLAに対する調査はICTYの検察が請け負う調査の中でも、最ももどかしいものであった。国連にしても、米英以外の軍隊にしても、この憎悪の燃え立つ地域での治安活動に対して消極的で、それゆえにデル・ポンテが率いる検察の調査員たちは、手掛かりとなる証拠集めの作業においてコソボ当局を当てにすることができなかった。また拉致の情報提供やKLAの容疑者に対する目撃証言を法廷でする意思のあるアルバニア系住民をようやく見つけても、まずその安全確保をするところから、考えなくてはならなかった。

その理由をデル・ポンテは、

「なぜならアルバニア人社会は非常に密接に繋がっており、アルバニアの氏族たちは家族を報復

に晒すことになる彼らの伝統的な復讐の法のみを認めているためである。アルバニアの名誉の概念はすべての関係性を支配し、それは血縁関係を超えてさえ及ぶ」と書いている。夫や親が決めた婚約者以外の男性と性的交渉があった女性を、家族の名誉のためとして親族の手で殺害する「名誉の殺人」は、主にイスラム教文化圏の地域で行われているが、このコソボの地でも因習とされていた。

またそのような土着の風習に加えて、調査に不可欠な通訳の問題があった。ヨーロッパ最古の言語のひとつであるアルバニア語を話す人材は極めて少なく、結局ネイティブのアルバニア人に頼るしかなく、そうすると翻訳ひとつにも極めて民族色が強くなる。これは私（筆者）も経験があるが、自民族に不利になると考えれば、全く意味の異なった訳を提供してくるのだ。99年にコソボのグラブニク地区のＫＬＡ基地に入った際、兵士に出自を訊ねたところ、その回答を友人でもある通訳のファトスは「コソボのコンピューター・システムエンジニア」と伝えてきた。ところが、日本に帰国してＮＨＫの「情報ネットワーク」の翻訳に出したら、「アルバニアのククツの農民」だった。兵士は本国から越境して来たゲリラではなく、地元のインテリなのだと印象づけたかったのだろう。考えてみれば、ＰＣも出だしたばかりの頃に、電気もないグラブニクの山岳ゲリラがエンジニアをしていたとは思えない。ファトスは彼が高校生のころからのつき合いで、親友とさえ言える存在であったが、こうしたバイアスのかかった行為をする。私を欺こうというよりもそれが彼らの秩序なのである。

ゴムの壁

デル・ポンテがコソボへ訪問の際に最初に話し合いを持ったＵＮＭＩＫのトップは、世界的に著名なNGO「国境なき医師団」を創設したフランス人医師のベルナール・クシュネルであった。クシュネルもまた「KLAの犯した犯罪を追跡するのは政治的に重要である」と賛意を示した。UNMIKによるKLA高官に対する告発の支援は継続するかに思われた。しかし、最終的にデル・ポンテ率いるICTY検察は大きな障害にぶちあたった。デル・ポンテはそれを「Muro di gomma（ゴムの壁）」と呼んだ。全力で突破をしようとしても鈍い手ごたえと共に跳ね返される分厚い壁は、かつては首都プリシュティナのアルバニア人たちでさえ「山の中の危ない連中」「仕事がなくなったらヤツらの仲間にでもなるか」と見下していたKLAが、すでにこの段階で米国の支援によって触ってはいけない巨大な存在となっていたことを示した。KLAを取り締まることは、米国をバックにしたアルバニア人の過激なコミュニティを相手に回すことになる。それはコソボとアルバニア本国のみならず、ヨーロッパ内のコミュニティも意味した。デル・ポンテはそこにある不正に向き合おうとしない弱腰の警察幹部や司法関係者を失望とともにこう批判している。

「UNMIKやKFORの職員ですら、その任務に携わることで起きる命の危険を恐れた。裁判所の何人かの裁判官たちもまたアルバニア人の魔の手を恐れたのだと思う。スイスに暮らす友人は私に報復に気を付けるよう忠告した。（スイスはアルバニア人コミュニティが多く）職員の何人かは、私のこの回顧録の中にあるKLA関連の事柄について取り上げることすらもやめるように忠告してきたのだ。今、私デル・ポンテは細心の注意を払ってそのことを取り上げている。しかし、ひるんではいけない。KLAの政治・軍事における大物たちの特権となっている刑事免責は、我々司法が恐怖のあまり法の運用に消極的になることでさらに増長するのだ。忖度するUNMIK職員は、コソボで機能する制度と法を作るにあたり、血塗られた経歴を持った元KLAリーダーたちを守れば、最後は自身を欺くことになる」

ここでデル・ポンテは司法に携わる連中さえ、危険を感じていることを、その要因となっているスイス国内で大きな影響力を持つアルバニア人コミュニティについて言及している。それはサッカーのスイス代表にも反映されていた。そこでは多くのアルバニア系選手が選出されており、コソボにルーツを持つジャカとシャキリが、２０１８年のロシアW杯のセルビア戦のゴール後で禁じられた政治的アクションを起こすのだ。ＦＩＦＡからペナルティを科せられるが、それはまた先のお話。

ハシム・タチからの挑発

話を戻そう。実はデル・ポンテはこれよりも以前、ＫＬＡの大物に遭っていた。２０００年12月にＩＣＴＹ検事として彼女は、ボスニアの戦争を終結させたデイトン和平合意の5周年を祝う式典に招かれて、米国オハイオ州デイトンにいた。大きな偶然であったが、この記念集会の主催者はコソボのアルバニア系住民の代表を招待していた。デル・ポンテはパネルディスカッションの際、隣の発言者テーブルに座った人物の顔を見て息を飲んだ。ＫＬＡの司令官でコソボ首相となったハシム・タチであったのだ。まさに訴追対象のトップとして考えていたタチが目の前にいるのだ。千載一遇のチャンスとも言えた。デル・ポンテは話しかけ、意見を交わし始めた。「初めまして。私はＩＣＴＹの検事です」「あなたのことはもちろんよく知っています。セルビア人の犯した罪について厳しい取り締まりをしてくれていることに感謝しています」。デル・ポンテの（セルビア人戦犯である）カラジッチやムラジッチに対する追及は世界的にも広く知られたことであるが、他方、ＫＬＡによる民間人拉致と虐殺、レイプ、麻薬の密売などの告発資料もすでに多数、受け取っていた。

© 時事通信フォト

KLAの司令官でコソボ首相となったハシム・タチ。デル・ポンテの訴追対象のトップだった。

「問いかけの中で、タチは、ＫＬＡの兵士がコソボで罪を犯したという事実を認めた。しかしそれはＫＬＡの軍服を着た成りすましであったと弁明した。そして私を挑発してきた。それでもひるまずに、自分はコソボにおけるアルバニア系武装組織による犯罪の調査を開始すると言った。タチ本人に対する起訴状を書こうとしていることは伝えなかったが、話の流れからタチはそれをやろうとしていると推断したに違いなく、急に表情が冷ややかになった。私が本気でＫＬＡの犯罪にメスを入れようとしていることをタチはここで直接知ることとなった。ガードはこの段階で固められたとも言えよう」

米国という障壁

調査、証拠固めに奔走したデル・ポンテは、02年に大きな障壁に苛(さいな)まれる。米国という壁である。検察側はＫＬＡの指揮系統に関する証拠が必要だった。ＮＡＴＯ空爆時にＫＬＡと友軍関係にあった米軍が当然ながらそれを把握しているはずであったが、開示請求をしても何も提供されなかった。業を煮やしたデル・ポンテは02年3月18日にワシントンＤＣを訪れ、米国の高官たちに向かって抗議の声をあげた。コソボにおける平和構築のために戦犯を裁くことは不可欠であり、そのためにＩＣＴＹの検察が捜査協力を求め、手順を踏んで催促したにもかかわらず、なぜ無視をするのか、米国はスレブレニツァで虐殺を指揮したセルビア人戦犯カラジッチやムラジッチの逮捕に対してはあれだけ協力的であったのになぜＫＬＡの犯罪には口をつぐむのか、だから、ＩＣＴＹは不公正だと言われるのだ、とデル・ポンテはなじっている。

「『ＩＣＴＹの司法のプロセスがセルビア人にも納得されるものだとしたら、彼らも信頼してくれるし、自分たちの本当の敵は対立民族ではなく、戦争を煽った政治家たちであると認識される。そこからコソボ内でのセルビア人とアルバニア人との民族和解への道が開ける。だからこそ、ＫＬＡの犯罪は暴露されなければならない』と私は言った。『民族紛争を裁く上での司法の不正は未来の戦争の種となるのだから』とも。米国は、ＮＡＴＯ軍の力を通して、ＫＬＡに対して巨大な軍事支援をしていた。だからＫＬＡの犯罪が表に出ることは絶対に避けたい。私はこう感じていた。ワシントンは旧ユーゴの戦犯を裁くというＩＣＴＹへの支持を建前上はしていたとしても、ＫＬＡリーダーに対する起訴状を嫌がっている。なぜなら、ＫＬＡをコソボ政府の権力中枢に据えて親米国としてコントロールしている以上、その起訴状は、米国の国際的な取り組みを複雑にするのだ。また米国防総省がアルカイダ対策に米軍部隊をアフガニスタンや他の中東前線に送る上でコソボの米軍基地はその拠点として重要な役割を果たす。しかし、友軍関係にあったコソボの軍人たちに起訴状が出れば、軍事オペレーション自体に停滞を及ぼすという懸念がある。ＫＬＡの訴追については米国以外のＮＡＴＯ加盟国もまた非協力であった」

米国以外のＮＡＴＯ加盟国というのは、トニー・ブレア政権下でユーゴへの空爆に積極的であったイギリスのことである。03年10月、デル・ポンテはロンドンでジャック・ストローというイギリス外務機関のトップと会い、イギリスからの捜査協力がないことを詰問した。「KLAの構造に関していく度も質問を繰り返しているのに、イギリス政府は何もつかんでいないというふりをしているのはあまりに卑劣ではないか?」。ストローは親知らずが痛むせいにして、真摯に答えず、はぐらかすばかりであった。

©時事通信フォト

アギム・チェク。KLAの司令官で2006年から2008年にコソボ首相。やはり訴追の対象。

米国とイギリスの訪問を終えたデル・ポンテは失意の中でベオグラードに戻り、セルビアの人権活動家ナターシャ・カンディッチと会見した。カンディッチには民族の枠を超えた人道家としてのネットワークがあった。セルビア人の戦犯に対しても追及を緩めないその姿勢から、アルバニア人側とのパイプも強かった。しかし、そのカンディッチさえもまた、「タチやチェク、それに西コソボ地域で台頭してICTYの調査対象になったラムシュ・ハラディナイといったKLAの実力者たちに不利な証言をするアルバニアの人権調査員はもういないだろう」と言った。KLAメンバーが複数名被告として絡んだ国内の刑事事件の証人に対する復讐の暴力は、もう始まっていたのである。02年12月、プリシュティナで爆弾が爆発した。狙われたのは、拉致被害者拷問の罪で起訴された5人の元KLAメンバーについて証言する予定のアルバニア人だった。

他にもハラディナイの訴追に関するこんな事件があった。UNMIK裁判はハラディナイとその弟を含む5人の被告人を起訴していた。罪状は99年に同胞である4人のアルバニア系住民を監禁し殺害した罪であった。ところが、03年1月4日、この訴訟の検察当局側の証人であり元KLA高官だったジェマイが、ペーチで後ろから来た車に追い抜きざまに撃たれ、息子と甥と一緒に殺害されたのである。少なくとも40人がこの襲撃を目撃したと報告されている。UNMIKの支援する地元警察はジェマイ殺害の目撃情報を呼び掛けたが、その8日後、何者かがペーチにあるUNMIKの建物にロケット弾を撃ち込んだ。さらに、ジェマイの死を調査していた2人の警察官も撃ち殺された。証人を招いての裁判どころか、その証人の殺人事件の捜査さえ手づまりになった。他の数人の証人たちは命の危険に晒されながらも生き延びたが、その中の一人であるラミル・ムリギは、「この殺戮は起訴された被告人たちが証人たちに復讐している」と震えながら語った。デル・ポンテは非公式にジェマイ殺害に関するUNMIKの報告書を入手した。正式な写しを要求したのに対し、UNMIKは黒塗りされた書類を送ってきた。判読可能な部分には、「ジェマイは非業の死を遂げる直前にUNMIK職員に対し、もし自分が殺されたら、犯人はラムシュ・ハラディナイだと思って欲しいと言った」と記してあった。

©時事通信フォト

ラムシュ・ハラディナイ。戦争犯罪の容疑で何度も逮捕、訴追されている。

「事態は悪くなっていった。検察のチームは、目撃者が証言を拒んでいること、また以前は弁護士や我々調査員に話をしてくれた人物たちも今では会うことも拒否しだしたと私に報告してきた。これらのKLAの刑事事件における証人に対する激しい暴力や暗殺は、自分たちの民主主義、法治社会のために、つまりはコソボの未来のために情報提供や証言をする意思があったであろう、他のアルバニア人たちをも恐怖で沈黙させる空気を明らかに作ってしまった」

行方不明者家族会議の反発

デル・ポンテはセルビアのコソボ担当相であるネボイシャ・チョービッチと折衝を繰り返した。チョービッチは独自に調査した結果、ＫＬＡの処刑場だった可能性のある場所のリストを提供すると言ったが、コソボ内を自由に移動することすら困難なセルビア側からの報告だけでは到底裁き切れず、捜査は遅々として進まなかった。デル・ポンテとチョービッチはそんな状況下でコソボの「行方不明者家族会議」と度々密度の濃いミーティングをした。

「彼らは正当な質問をした。なぜあなたたち裁判所は行方不明になっている家族に関して情報提供をしてくれないのか？　私たち家族会議が容疑者リストを渡した後もなぜＫＬＡの誘拐犯たちは起訴されなかったのか？　被害者家族たちは誰一人として、チョービッチを含むセルビア政府ですら、信用していなかった。セルビア政府はコソボの同胞を政治折衝のカードくらいにしか思っていない。真剣に拉致被害者を探そうとはしていないのだ。事実、家族会議のメンバーたちは私（デル・ポンテ）にこう語ったことがある。『セルビア政府やＩＣＴＹよりもコソボのアルバニア系住民で親族が行方不明になった人たちからの方がまだましな協力を得ることができた。同じような境遇の者として、我々は理解しえた』と。家族会議からの追及に私は『最善を尽くしています』と言った。しかし、彼らを満足させることができなかったのは分かっている」

ＫＦＯＲ、コソボ首相の見解

デル・ポンテは「家族会議」のために粘り強く要求を続けた。02年４月19日にはプリシュティナに乗り込み、ＫＦＯＲの司令官であるフランスのヴァレンティン将軍に対して一向に送られて来る気配を見せないＫＬＡの情報をすぐに供与するよう、直談判に臨んだ。軍人として治安維持に携わるヴァレンティンには、特にその指揮系統と作戦地帯に関する情報を求めた。99年６月にＮＡＴＯ軍の空爆に屈する形でセルビア治安部隊が撤退した後、最初にコソボ統治のために到着したＫＦＯＲ代表団は、パートナーとして選んだＫＬＡの実態に関する情報報告書とその組織関係を図表にまとめていたはずだ」とデル・ポンテは確信していた。そうでなければ、ＫＦＯＲの司令官、軍人たちはＫＬＡとどうやって共同の仕事ができたのか。もしもそのような情報を集約していなかったのであれば、逆に軍事作戦を扱う上で大きな怠慢と言えた。ヴァレンティン将軍は、「ＫＦＯＲはすでに検察局にＫＬＡの情報提供を開始している。しかし、「最初の代表団の資料はすでにベルギーのＮＡＴＯ本部に保管されていてここにない」とデル・ポンテへの提出を拒否した。

続いてデル・ポンテは、コソボの初代首相となるバイラム・レジェピと面会した。ここでの目的は、アルバニアの氏族社会に対する啓発と言えた。つまりアルバニア人の被告が裁判所に起訴された際、部族間で庇うことを止めさせ、法律に基づいて地元当局からの協力を得られるようにしておくことだった。デル・ポンテはレジェピに、コソボの未来のためにアルバニア系住民たちに法治国家のあり方を説明することが、政治リーダーの役割だと説いた。レジェピは好意的だった。アルバニア人は文化的に女性が前面に出ることを厭うが、女性検事として活躍するデル・ポンテをも褒めた。そして「法律の上には誰も君臨することはできない。コソボの人々にこれを説明するのは簡単なことだ」とさえ言った。しかし、とレジェピは続けて断言した。「ＫＬＡはコソボ独立のために戦ったのである。起こった犯罪は個々の悪事である。そしてKLAの正義の殺人はセルビア人による戦争犯罪とは違う次元にあるものだ」と断言した。それこそが、属人や民族の大義によって法を無視していることになる。レジェピの理屈によれば、だから、民間人に対する拉致や殺人、レイプがあったとしても、モラルの低い部下がその規律を勝手に犯したわけで、KLAの司令官には責任はないという理屈だった。デル・ポンテは検察の調査が困難に直面していることをレジェピに伝えた。「犯罪を見た証人たちは非常におびえ、KLAのことを話すのを恐れています」。レジェピは「彼らの沈黙は理解できる。コソボの地元警察はいまだ機能していない」と言った。他人事のようなコメントであった。やはりコソボ政府の自浄作用は期待できない。

02年10月22日、プリシュティナに戻っていたデル・ポンテに対して、KFORの新しい司令官、ファビオ・ミニというイタリアの将軍は、「ICTYの被告人たちは、たとえ相手がどんな大物であっても自分の軍隊がいつでも逮捕する準備がある、そしてまた起訴の可能性があるKLAの幹部14人に関してはどんな問題と脅威がそこにあるのか、自分は認識している」と言って、デル・ポンテを安心させた。このファビオ・ミニは、米国がコソボの独立を承認した際にその危険性を指摘し、「明らかな国際法違反であり、世界各地で不安定要因をドミノ現象のように導くだろう」とコメントしていた人物である。戦争犯罪に対する情報収集については、相変わらず報復を恐れて口を閉ざす人々がほとんどであった。一方、それが利権にもなりつつあった。アルバニア北部で2つの墓石が見つかり、UNMIK警察はそこにはコソボから拉致され、臓器を取られたセルビア人の遺体が埋まっているという情報を得たが、その身元を特定するのにネタ元の地元民からは一体にそれぞれ5万ユーロが要求されてきた。これは一例で、告発する情報に法外な金額を検察に求めるというケースが頻繁に出てきた。

優遇

03年1月27日、デル・ポンテはＵＮＭＩＫからの調査支援をようやく受け取り、ＫＬＡ関連で４人のアルバニア人の被告を起訴した。この被告への罪状は98年の5月から7月下旬にかけて少なくとも35人のセルビア人と不服従のアルバニア人をコソボにおいて拉致したことである。最終的には、コソボ議会のメンバーとなったファトミル・リマイ、そしてハラディン・バラとイサク・ムスリウを拉致被害者に対する暴行、殴打、拷問の容疑で被告人とした。ＩＣＴＹが起訴状を作成してから3週間後、デル・ポンテはＫＦＯＲの上級司令官から電話を受けた。「起訴されているファトミル・リマイが彼のビジネスパートナーであるハシム・タチと共にスキーをしたがっている。それでスロベニアへの渡航を許可することになった。理解してくれ」。本来であれば戦争犯罪の被告人が自由に国外に出る行為など、許されずはずがなく、これはタチからの圧力にＫＦＯＲが屈したのであった。デル・ポンテは激怒した。リマイはまったくのノーチェックで国外渡航を許されていた。プリシュティナ空港まで自分で車を運転し、パスポートチェックもセキュリティも堂々と通過して飛び去った。デル・ポンテは、国際社会に対して声明を出して対抗した。「ファトミル・リマイが、ラトコ・ムラジッチやラドヴァン・カラジッチ（二人ともスレブレニツァの虐殺を指揮したセルビア人戦犯で後に逮捕）などのＩＣＴＹから逃亡した有名な容疑者と一緒になって良いのか？　そうなる前に自身の責任を認めろ！」

電話傍受

04年6月から、ベカイという一族が、そのリマイの公判で有罪を証言する二人の証人に、恫喝を試み始めたことが分かった。

04年10月6日、UNMIK警察は、ベカイが証人に「こちらに来て、ファトミル・リマイは殺人事件とは何の関係もないと証言して欲しい」と電話で偽の証言を要求するのを傍受したのである。ベカイは証人に、プリシュティナでリマイの弁護士と会えば、お前の身の安全は保証すると告げている。

「証人買収の証明は非常に難しい。特に法のない地域では困難だ。裁判では最終的にベカイを罪に問うことになったが、それは電話傍受に裏付けされた罪状に関してだけだった。彼の判決は懲役4カ月。この軽佻さでは、犯罪抑止力にならなかった。リマイの公判の間、より多くの証人が、脅迫をされたと検察側の弁護士に対して訴えてきた。ある者は家の外で自動小銃が発砲される音を聞き、ある者は子どもたちが尾行されたと報告した。ICTYの検事は武装した警備員を帯同させて何度もコソボに赴き、KLA犯罪の証人になりうる人物の家を訪問しては説得を繰り返した。私（デル・ポンテ）は、もしも彼らに証言者として名乗り出る勇気があれば、それを見た他の証言者も続き、やがてはあなたの故郷コソボで確かな法の支配が育つだろうと、地域社会のリーダーたちへの説得を試みた。しかし、その地域の長たちが狙われた。そのうちの一人は証拠を提出した後、乗っている車が銃撃を受けた。奇跡的に難は逃れたが、14歳の息子も同乗していて、その恐怖を想像するに難くない。別の証人は、裁判所が第三国に逃がす前に、車ごと吹き飛ばされて片脚を失ってしまった」

05年11月13日、裁判所はファトミル・リマイに無罪を言い渡した。リマイの無罪判決を説明するにあたり、裁判官たちは検察側の証人として召喚された複数の元ＫＬＡメンバーたちによる法廷証言が、以前の供述と著しく異なってしまったことをその理由として述べた。

黄色い家

デル・ポンテは犯罪のあった現場にも直接、足を運んだ。04年、報告された情報を基に、ＩＣＴＹとＵＮＭＩＫの調査員たちとともにコソボの隣国アルバニアに向かうと、臓器摘出のために拉致被害者たちが殺害された場所として特定された「黄色い家」を突きとめることに成功している。

「調査員たちは地面にガーゼの端切れを見つけた。『黄色い家』の周辺には使用済みのシリンジ、空のビニールの点滴バッグが二つ、使用済みの薬液バイアルがあり、そのいくつかは手術中に使われた筋弛緩剤が入っていたものだった。科学捜査班の薬剤散布によって、部屋の壁と床に飛び散った血液の存在が明らかとなった。２日間にわたる村での調査の間、この『黄色い家』のオーナーであるカトゥーチは血のしみについて様々な説明をした。最初、彼は、数年前に妻が子どもたちをその部屋で出産したと言った。その後、妻が子どもたちは他の場所で生まれたとあかした後で、彼は、ムスリムのお祝いのときに動物を屠殺するのにその部屋を使ったとの言いわけをした」

世界の多くの紛争地帯で捕虜が臓器密売のために殺されるという話は聞かれるが、これほどの証拠が出てくることは稀であった。シリンジ、点滴バッグ、その他の医療設備は明らかに裏付けとなる。しかし、この任務で、デル・ポンテたち検察側は黄色い家のオーナーのカトゥーチ一族はもちろん、近郊の関係者の誰をも、真実の情報と共に名乗り出るように説得できなかった。拉致被害者がコソボから国境を越えてアルバニアの国内で殺害されたことで、管轄に絡む障害も生じた。

そのアルバニア国内の検事は拉致犯罪の捜査協力における大きな問題をこの時に露呈させている。

「アルバニアの検事は、自分の親戚がＫＬＡのメンバーとして戦ったと自慢した挙句、こう言ったのです。『セルビア人は誰もここに埋葬されていない。だがもし犯人がセルビア人を、国境を超えてコソボから連れてきて殺したのだとしたら、それは良いことをした』。こういう検事とは仕事は、できない。しかし、この件を起訴するかどうかの判断は、ＵＮＭＩＫ、コソボ、アルバニア当局、そしてセルビアの法執行機関との連携次第となる」

法の支配が届かない地域で利益が相反するこの四者が協力をして真実に向けて捜査を進めることがほとんど不可能であることは、これまでの体験でデル・ポンテは熟知していた。ゴムの壁にさえぎられたデル・ポンテは実質的にここで捜査の中断を宣言した。

黄色い家2

08年、デル・ポンテの著作を受けて、欧州評議会法務人権委員会のディック・マーティ委員が調査に乗り出した。スイス人の検察官であるマーティは同委員会において、大きな実績をあげており。エース検事が投入されたと言えた。マーティは過去にヨーロッパ内で行われたＣＩＡ（米国中央情報局）による刑務所内における拷問の事実と、それを知りながら看過・幇助してきた14の国の罪をあぶり出し、立証したのだ。政治・外交のしがらみから自立した敏腕検察官のマーティは、2年間をかけた調査の結果、10年12月14日に報告書「コソボにおける非人道的行為と臓器密貿易」を発表、その内容はあまりに衝撃的であった。12月16日に行った記者会見でマーティは、「コソボで臓器密売が行われていたことを証明する十分な資料が揃った。衝撃だったのは、国際機関や西ヨーロッパ諸国、コソボ警察などはこの犯罪の事実を知っていたのに、政治的な判断から口を閉ざしていたことだ」とカメラの前で自らの顔をさらして述べたのだ。覚悟の追求だった。

詳細に綴られたマーティの報告書は①概要、②情報源、③調査詳細の三つの項目に分かれており、中の項目の一つ、「人体臓器価格表」では、具体的に各臓器の価格まで調べられていた。眼球（両眼）が１５２５ドル、小腸が２５１９ドル、冠動脈が１５２５ドル……。肝臓が15万７０００ドルで11万９０００ドルの心臓よりも高い。売る国の富裕層によって相場も異なり、腎臓がインドでは1万５００ドル、中国で６万２０００ドル、米国では26万２０００ドル。人間ひとりの臓器を全部売ると、１００万ドルを超えるビジネスとなる。しかも拉致によって「原材料」は無料で入手できるのだ。悪魔の所業である。

以下はマーティの報告書の抄訳である。デル・ポンテの著書に書かれていたことの裏付けを取っており、その意味では重複もあるが、ひとりの検事の回顧録ではなく、組織犯罪を告発した欧州評議会人権委員会の公的な調査リポートとして、敢えて記す（換言すればデル・ポンテの独白はすべて事実だったと言える）。

以下、全体像を要約する。

ディック・マーティの報告書

臓器密売犯罪についての検察調査は途方もなく困難をきわめる仕事であった。

理由はいくつもあった。

一つは、コソボ紛争はどちらが善で、どちらが悪と黒白がつけられない争いであったことだ。戦争犯罪者を裁く法廷においても、セルビアとアルバニア、犯罪者と犠牲者の立場が入れ替わることも往々にして起こった。

二つ目に、その非常に複雑な実態の根底にあるのが、コソボのアルバニア人社会の構造にあることだ。氏族で構成され、本当の意味での市民社会は存在しない。よって、犯罪者犠牲者のどちらにも外部者が接触するのは難しい。アルバニアでもコソボでも、紛争についての話を聞こうとすると口をつぐまれる。

三つ目に、訴える側の能力不足がある。セルビアの官憲も悪名高い「黄色い家」の場所を特定

WHAT IS YOUR BODY WORTH?

PAIR OF EYEBALLS $1,525
SCALP $607
SKULL W/TEETH $1,200
CORONARY ARTERY $1,525
SHOULDER $500
LIVER $157,000
HEART $119,000
HAND & FOREARM $385
PINT OF BLOOD $25 $337
SPLEEN $508
STOMACH $508
KIDNEY $15,000 $62,000 $262,000
SMALL INTESTINE $2,519
GALLBLADDER $1,219
SKIN $10 PER SQ. INCH

違法な臓器密売に反対するブログMedical transcription.netに掲載された臓器密売の価格を示したイラスト。臓器と値段が示されている。

しようと乗り出してはみたものの、深く踏み込んだ調査は技術や人員の能力の点からかなわなかった。

ディック・マーティはＫＬＡについて以下のように説明している。

臓器密売の犯罪を主として行っているのは、ＫＬＡ（コソボ解放軍）という96年に結成されたアルバニアのゲリラ集団である。旧ユーゴ時代から抑圧されてきたアルバニア系住民が、コソボ紛争時にセルビア治安部隊によって大々的に弾圧を受け、多くが殺されたり行方不明になったことをきっかけに、ゲリラ集団は大きな勢力を持つ組織へと発展した。しかし、ＫＬＡは紛争時から氏族の結束を武器に麻薬、売春などの犯罪を組織化し、紛争後に国際機関、とくにアメリカから流れてきた復興金を私腹に入れて、組織を強大にした。コソボ内で少数派となったセルビア人を捕虜として拉致し、若くて元気な捕虜を選別して食事を十分に摂らせて、アルバニア北部の「黄色い家」に運び、医師が臓器を取り出して密輸する、という臓器密売のルートもまたたく間に組織化された。

このマフィア組織の主導的なメンバーは、現在コソボ共和国の首相であるハシム・タチとその仲間である「ドレニカ・グループ」である。彼らはアメリカ政府と西側諸国の後ろ盾で勢力を拡張した。

このドレニカ・グループが犯罪の犠牲者の家族や関係者、目撃者を脅迫と暴力によって沈黙させたために、調査委員会の調査は、大きく阻まれた。司法の場で裁こうにも、証言者が恐怖に駆られて法廷に出頭しないのである。しかし、調査委員会だけでなく、ジャーナリストによっても

20	調査委員会は、現在世界的に臓器売買が非常に深刻な問題になっていると知り、人権と尊厳の最も基本的な一線を犯していると考え、2009年に欧州評議会と国連が共同で発表した調査書の結論を歓迎し、同意する。特に、人体の臓器、組織と細胞の密輸を禁止し、犠牲者を保護するための国際的な法機関を設置し、同時に違反者を起訴するための法を設置する必要がある、という点にはまったく同意する。

B. ディック・マーティによる調査覚書

3章　調査詳細(目次)

3. 1	全体像
3. 2	KLAの派閥と組織犯罪とのつながり
3. 3	捕虜拉致者の収容施設と非人道的な扱い
3. 3. 1	紛争時のKLAの収容施設
3. 3. 1. 1	最初の捕虜拉致者は「戦争捕虜たち」だった
3. 3. 1. 1. 1	キャハンの収容施設の実態例
3. 3. 1. 1. 2	クケスの収容施設の実態例
3. 3. 2	紛争終結後にKLAメンバーと加入者(協力者)たちが運営していた拉致者の監禁場所
3. 3. 2. 1	第二の拉致者たちは「行方不明者たち」だった
3. 3. 2. 1. 1	リューペの収容施設の実態例
3. 3. 2. 1. 2	監禁と輸送の状況について調査によってあきらかにされたこと
3. 3. 2. 2	「組織犯罪の犠牲者たち」
3. 4	メディカス・クリニック　http://www.medicus.com.tr
3. 5	コソボでは「説明責任についてガラスの天井がある」という実態の反映
3. 6	結論としての所見

ディック・マーティの報告書

A. 決議草案	
1	欧州評議会当調査委員会は、ICTY（旧ユーゴ国際戦犯法廷）の前主任検事であるカルラ・デル・ポンテが著書で、コソボ紛争中の重大な犯罪の中に、組織的に臓器売買が行われていたと指摘していたものの、司法の場で裁かれないばかりか、調査もされないままになっていることを問題視していた。
2	この犯罪は「KLA＝コソボ解放軍」が紛争終了時にコソボ内にいたセルビア人捕虜に対して行われた。
3	委員会による調査によれば、臓器販売の犯罪はいまだに進行中である。コソボ解放軍が管理するアルバニア北部に拉致した人々を収容し、非人道的かつ劣悪な処置によって臓器を取り出し、最終的に抹殺してしまう、という犯罪が行われているという証言を委員会は集めた。
4	武力による紛争が終了した直後から、国際的な駐留軍が地域を管理下に置き、法と秩序を取り戻すことができるまでの期間に、アルバニア領内のFushe-Kruje近くにある「クリニック」で捕虜たちは臓器を抜き取られ、海外に運ばれたことを裏付ける数多くの証拠がある。
5	この犯罪行為は地域の混乱に乗じて、KLAの武装リーダーたちが主導する組織犯罪となり、形を変えながら現在まで続いている。コソボでEULEX（欧州連合によってコソボに派遣された文民・警察が当地に法の支配を打ち立てるミッションを遂行する）が行ったメディカス・クリニックに関する調査によって現在の実態が明らかにされている。
6	21世紀初めから臓器密売の証拠が具体的にいくつもあがっているにもかかわらず、この地域の秩序回復を担当する国際機関はその状況について詳しい調査を実施する必要性を真剣に考えず、調査はおざなりで十分ではなかった。
7	特に紛争終結時にコソボに駐留し、地域の安全と法秩序の回復を担当した国際組織KFORとUNMIKは、地域を再建するという仕事に関わらねばならず、信頼されるに足るだけの技量をもってこの仕事に携われるスタッフが絶対的に不足しており、そのためスタッフがつぎつぎと変わっていった。
8	ICTYは最初、臓器や人体組織密売ルートを追跡し、犯罪組織を暴く調査を主導的に担っていたが、やがて調査は中断された。アルバニアのリューペ村で集められた証拠は握りつぶされ、現在では踏み込んだ調査をすることができなくなっている。その後の調査は行われていないが、ICTY前主任検事はこれを由々しい犯罪だと考え、公にすべきだとして自著で明らかにした。

©時事通信フォト

臓器密売について詳細な捜査報告をした欧州評議会のディック・マーティ委員。

臓器密売の組織犯罪の実態はしだいにあきらかになりつつある

調査詳細で特に目を引いたのは、項目の3−3−2−2「組織犯罪の犠牲者たち」である。生々しい証言情報によって、犠牲者たちがどのような処置を受けているのかが、明らかになっている。

私（マーティ）たちが発見したこの犠牲者集団のうちの5人はアルバニア山間部に連れて行かれ、簡易手術部屋で腎臓を摘出される前に殺された。証言情報によれば、犠牲者たちは臓器摘出のために選別されて最後まで残され、十分な食事を与えられて睡眠をとるのを許され、KLAに拘束された下僕によって世話をされた。

この下僕たちは、言うことを聞かなければKLA直属の部下たちに見境なく暴行を受けた。

証言情報によれば、少なくとも数人の犠牲者は自分たちを待ち受けている運命に気づいていた、ということが強く示唆されている。監禁施設では、運ばれたほかの監禁者たちの声が聞こえたし、「切り刻まれる」運命は勘弁して欲しいと拉致加害者たちに懇願したと言う。

マーティの調査グループは、粘り強く情報提供者にあたり、臓器の摘出方法や密輸ルートまで以下のように調べあげている。

私（マーティ）たちが見いだした信頼のおける情報筋の証言と、すべての犠牲者の殺害方法を検証した結果、犠牲者は一つか複数の臓器を摘出される前に、頭を一発銃で撃たれて殺されていた。これは主として「死体腎臓」の取引に使われる方法である。

ＫＬＡの内部情報者から臓器の実際の密輸について驚くべき実態を聞いた。犯罪組織のリーダーが、高額の報酬にひかれて人体組織売買ビジネスに手を染めており、密輸の具体的な実務は比較的シンプルだ。犠牲者はFushe-Kruje地域にある施設まで運ばれる（リューペ村やブーレルから数時間の、辛い道程である）。

移植の外科医が到着し、手術ができる態勢が整うと、犠牲者は一人ずつＫＬＡのガンマンによって処刑され、死体はすみやかに外科クリニックに運ばれる。生きたドナーを手術するのではなく死体腎臓が摘出される手術が、もっとも一般的な方法だった。移植腎臓を摘出する方法として、もちろんこれは殺人であり違法である。しかし、私（マーティ）たちが調査した移植の高名な専門家によれば、この方法は生物学的には効果的でリスクが低いそうだ。Fushe-Krujeの施設を選んだ理由は、アルバニアの首都ティラナへの便がある空港に近いからだ、と情報者は明かしている。施設は、国際的な訪問者を受け入れ、「出荷」をする臓器密輸のハブだった。

ビジネスである以上、当然ながら、需要と供給がある。売りさばくにはどのようなルートがあるのか？　報告書はここで密売に関与している具体的なクリニックの名前を挙げている。そして密売ルートが国際間にまたがっており、アルバニアのみならず多国籍のシンジケートの存在があることを示している。

調査を進めていくうちに、私（マーティ）たちはまだ発表するのに十分な裏付けはないものの、ある重要な情報を得た。それによれば、違法な臓器移植ビジネスのためには、コソボ以外に少なくとも三つの国の共謀者がいて、すでに十年以上にわたって臓器密売が行われているというのだ。とくに信頼できる情報を総合的に見たところ、コソボ紛争後に監禁施設で摘出された臓器の密売に、現在トルコのメディカス・クリニックがかかわっているという。コソボのアルバニア人のトップ、すなわちＫＬＡだけではなく、国際的な重要人物が共謀しているのである。

欧州評議会法務人権委員会はここまで調査をしたのであるが、同委員会にはコソボにおける警察および司法の責任はなく、マーティとしては、あとはコソボ現地の警察と司法組織にゆだねざるをえないとしている。

コソボ特別検察局が現在進めている調査と司法手続きを尊重する上で、私（マーティ）たちは現時点においてはこの関与について公表することを控えざるをえない。ただこれだけは言っておきたい。すべての国がメディカス・クリニックの恥ずべき行為を阻止するために最大限努力し、犯罪の首謀者と共謀者を司法の場に出すために協力して欲しい。

メディカス・クリニックはトルコにある病院でホームページを覗くと極めてクリーンな映像が立ち上がる。かつてＣＩＡが欧州で行った幾多の犯罪をあぶり出した敏腕検察官ディック・マーティは「自分たちができるのはここまでだが、その上でこの度し難い犯罪の加害者の逮捕と裁きに全世界が協力すべきだ」と最後に掲げて結んでいる。しかし、その願望は叶わなかった。

コソボのタチ首相は全面的にこの発表をでっちあげと否定した。

２ 臓器密売の現場を追う

「黄色い家」を初めて報道したジャーナリスト

とにかく「黄色い家」に行ってみようと考えた。いったいどんな場所で拉致被害者の臓器摘出をしていたのか。向かうにあたり、情報収集にあたったところ、セルビアのベオグラードに本拠地を置く放送局Ｂ92が『リアクション』というタイトルの報道番組で「黄色い家」についての詳細なドキュメンタリーを放送していた。制作者に会いたいと局に問い合わせるとディレクターは女性だった。ラドスラフカ・デスポトビッチという報道局所属の記者で、現在はＢ92を辞めてセルビア北部のボイボディナ州のラジオ局に勤めているという。彼女は「黄色い家」の存在を自らリサーチ段階より丹念に調べあげ、実際にアルバニアの現場を訪ねている。番組を観る限り、その丁寧な仕事ぶりから誠実な記者であることが、透けて見えた。聞けば産休中とのことであったが、連絡をすると、「会いましょう」と快諾してくれた。２０１３年7月13日、午前11時、彼女の現在の職場のある北部の町ノビサドを訪れた。指定されたカフェテリアに行くと、ワンピースにサングラス姿、短く刈り込んだヘアスタイルの女性が待っていた。

勧められるままに椅子に座り、カフェを注文する。ミストシャワーが心地よいが、カップに水が入らないか、少し気にかかる。「何から話しましょうか」。デスポトビッチはにこやかに質問を促してきた。自作を語る制作者として気負いのない姿勢に好感が持てた。私はまず、黄色い家の存在を何で知って、番組制作に向けてどう動いたのかを知りたかった。B92は政府系ではない独立メディアで公正さには定評があったし、番組自体も豊富なインタビューを使った分厚い構成になっていた。しかしもしもタチが言っているようなセルビアのプロパガンダ的な背景から立ち上がった番組企画であったならば、注意しなくてはならない。

「黄色い家」を初めて報道したドキュメンタリー制作者、ラドスラフカ・デスポトビッチ。

「それはデル・ポンテのあの著作を読んだからです」

やはりそうか。「出版されてから2カ月後に、『黄色い家』に関する二つの章を読みました。そこから同僚と一緒にイタリア語をセルビア語に翻訳して局内で3カ月間の準備期間を費やしました。もちろん、デル・ポンテ本人にも取材を申し込みましたよ」。潤沢な制作予算があるわけでもなく、少ないスタッフで入念な準備を尽くしてど真ん中の取材に入るところから、独立系メディアの意地のようなものを感じた。「しかし、デル・ポンテはそのときすでにICTYを出て、駐アルゼンチンのスイス大使の任に就いていたのです。外交官としての行動規定があって、この件には一切、コメントはしないという回答でした。それで現場に取材に行くことにしたのです。それにしてもあの本『La Cassio. Io El Crimirali Di Guerra（追跡、戦争犯罪と私）』は役に立ちました」

「あなたの属性はセルビア人ですが、企画を立ち上げたのは、やはり愛国心からの動機でしょうか？」。ここで番組制作の背景を知っておきたかった。

デスポトビッチは、こちらの意図を見抜いたのか、苦笑した。

「私は長い記者生活の中で、戦争犯罪の加害者とその加害者の民族に対しての感情を区別してきました。何より私はこれまで、セルビア人が加害者である番組を制作してきました。ＮＡＴＯ空爆の最中に１０００人近くのアルバニア人が行方不明になっていたこと、それは恐らくセルビア民兵部隊によって殺害されていたということを調査しました。そのときとまったく同じマインドです。つまり、被害民族がセルビア人だからといって特別な感情に突き動かされて動いたわけではありません。私はただ拉致被害者のために事実を追及しなければいけない、そういう使命のもとに調査を開始しました」

口調からも報道に政治や民族を持ち込まないという意思が汲み取れた。歴史から学び、番組においての過剰な自分語りをしないところからも信頼に足りる人物かどうか、分かった。何となれば、ユーゴスラビア紛争は民族ごとの報道によって最後は殺し合いが始まり、凄惨を極めたのだから。腰を据えて、デスポトビッチの語りに耳を傾けることにした。戦争犯罪を取材してきた記者として、あの本を読んでの感想は？　と水を向けると、堰を切ったように話しだした。

「知っての通り、国際法廷の検事であるデル・ポンテのあの著書には、セルビア人やロマ、およびコソボの勢力に不服従だったアルバニア人が最終的にはアルバニア本国で殺害されて臓器を取られたという欧州評議会にも認定された事実が書かれていました。この事実から『黄色い家』には三つの問題があげられます」

続いてそれを腑分けしていった。

「一つめは、戦争犯罪の問題。非戦闘員が紛争終結後に誘拐されて殺害されたこと。二つめは、組織犯罪。人間を拉致して国境を越えて運び、臓器を取り出して、富裕層に提供するという組織的な犯罪が行われた。三つ目は、この拉致殺害ビジネスに外国であるアルバニアの政府が絡んでいることです」

確かに報告書によれば、コソボのタチ首相を筆頭とする極右勢力とアルバニアが組むことで、この犯罪は成立している。拘束した数十人の人間をトラックに乗せて国境を越えるのは、両国の入管が合意していなければ不可能だ。しかし、だからこそ検事デル・ポンテもこの犯罪を訴追できなかったのである。なぜならば、ＩＣＴＹ（旧ユーゴ国際戦犯法廷）が捜査対象にできるのは、あくまでも旧ユーゴ国内における国際人道法違反であるから、アルバニアは領域外となる。まさにタチが悪い。しかし、見方を変えれば、捜査権の法的根拠がなくてもアルバニアまで越境して独自に「黄色い家」の調査をしたデル・ポンテの職業意識は凄まじいと言える。

「そうですね。同じ女性、同じ戦争犯罪を憎む者として彼女の勇敢さを尊敬しています」

「あなたたちテレビスタッフの取材アプローチについて、聞かせてもらえますか」

デスポトビッチは、少し遠くを見るような視線を飛ばした。

「当時のＢ92というのは、本当にプロフェッショナルなテレビ局でした。私が『黄色い家』の番組提案書を提出すると、しばらくしてＧＯが出されました。あの会社がこれだけのリスクをかかえる番組を制作したのは後にも先にもないことです。私たちは通常、外国に取材に行く場合、外務省に報告するのが一般的ですが、今回はしませんでした。恐らく現場に行く前にセルビアの保安当局等に伝えたら、外交問題に発展することを恐れてストップがかかったと思うのです」

正面から、「黄色い家」の取材撮影と申請すれば、アルバニア政府も拒否をすることが予想された。デスポトビッチの撮影クルーは、観光ビザでの入国を試みた。ルートもトラブルを避けるためにコソボを迂回して、モンテネグロの国境からアルバニアに入った。ここでセルビアナンバーの車を捨て、次に機材を手持ちで運んで、アルバニア側のポイントであらかじめ手配していたタクシーワゴン車に乗り込んだ。幸運だったのは、事前に連絡を取り合っていたアルバニア人の記者たちが、「人道的な報道において君たちは同胞であり、兄弟だ。協力する」と言って、取材の便宜を図り、デスポトビッチたちの安全を担保してくれたことだという。

「彼らには本当に助けられました。セルビア大使館にも知らせず、まったく頼るものがない中で動いていた私たちに対して民族を超えてサポートしてくれました」

ＫＬＡは拉致してきた被害者たちを最終的に「黄色い家」に運んで内臓器官を摘出するのだが、この簡易手術室には一度に何十人も連れ込めないので、その前にいくつかの施設に監禁していた。デル・ポンテはその中の一つをブーレルという町の特殊病院であると特定していた。デスポトビッチはブーレルに入ってその病院を探しだした。門の前でレポートしていると、院内から、施設の人間が飛び出して来た。素材が没収される！　しかし、それを何とかごまかして収めてくれたのもアルバニア人の記者たちであった。撮影を終えると、即座に「黄色い家」のあるリューペ村へ向かった。

「黄色い家を管理しているのは、カトゥーチという年をとった管理人でした。私たちはあえて予告もなしにこの老人に会いに行きました。彼に発言する内容を事前に準備させたくなかったのです。しかし、現場に辿り着いたら、カトゥーチはカメラを見ていきなりは私たちを怒鳴りつけてきました。『お前たちはデル・ポンテのスパイだろ。お前をレイプして木の棒にくくり付け殺害してやる』と言ってきたのです。何がこの場所で行われたかについては、触れて欲しくないのがよく分かりました。カメラマンの男性はその恫喝でブルってしまいました。『俺は今日、誕生日なんだよ。そんな日に死にたくないよ』。彼は、これが単なる脅しではないのを知っていたのです。カトゥーチはいかにも典型的な古い世代のアルバニア人でした。そして北部アルバニア地方というのはいまだに法が機能しておらず、部族社会特有の人治主義の慣習がいまだに施行されている地域なのです」。ここもアルバニア人記者に助けてもらったという。「電話をして部族の長の名前を出して、とりなしてもらったのです。そこからは撮影が可能になりました。注射器やガーゼがたくさん押収された『黄色い家』の壁には、まだ血痕も残っていたし、近くには名前の書かれていない粗末な墓、というか、埋葬跡が多数ありました。私が受けた印象では、実際『黄色い家』で行われた戦争犯罪をカトゥーチが知った上で加担したのか、ただ単に家を貸しただけなのか、それは分かりません。しかし、たくさんの人間が自分の家に運ばれてくるところを目撃したことは間違いないでしょう。また、たとえ知っていても彼はメディアに発言することができない。そういうことをすると彼自身の生命に関わるからです。過去の例を見てみれば、デル・ポンテはコソボの首相のラムシュ・ハラディナイをICTYで訴追しましたが、その罪について証言しようとしたロマのクイティム・ベリシャをはじめとする11人が、不審な死によって消されています」

やはり「黄色い家」とカトゥーチには大きな力が働いている。

「話を聞いていると、当時のB92はアルバニアという国にとって、極めて大きな問題を孕む事件に対する調査報道を行ったわけですね。にも関わらず、アルバニア人記者は協力的であったわけですね」

「そうですね。一方で、アルバニアの役人はまったく逆で、私たちの調査を最初から否定してきました。『黄色い家』からは、リオレラクサントという臓器摘出手術を行う前に注入する筋肉弛緩剤が押収されていましたが、地方検察局のデューリ検察官は、その証拠を前にしてもあそこにあったのはアスピリンだけだと強弁していました。カトゥーチの見解？　彼は孫が腰痛を持っていて、その治療にリオレラクサントを使ったと言っていました（笑）」。ここでぶつけてみた。

「それで、私も『黄色い家』に行きたいのです」

デスポトビッチはこちらの顔を見据えた。「それはあまり薦めないですね。やはり危険は伴います。行けば分かりますが、「黄色い家」は山の中の一軒家です。ある意味で戦場よりも怖い」「コソボの３０００人の行方不明者の遺族会を自分はずっと取材してきたのです。まさか、拉致されて臓器を取られて殺されていたなどと、信じたくはなかったのですが、それを知った以上は現場に行かないと、気が済まないのです」。無辜な民間人たちが、捕まり、恐怖の中で身体を開かれて内臓を刻まれたのである。何と恐ろしく、無念だったことか。米国大使館前で両親の写真を泣きながら掲げて、抗議行動をしていたオイラニッチの顔が浮かぶ。デスポトビッチはアドバイスをくれた。「デル・ポンテが『黄色い家』の現場を訪れたのは、２００４年で空爆から４年が経っていた。彼女の著作が出て、欧州評議会も報告書を出した。私たちがその４年後に入って番組を作った。しかし、アルバニア政府は動こうとしないし、国連も弱腰です。あなたの道行きにアドバイスをするとしたら、必ずアルバニア人と行動すること。『黄色い家』のオーナーのカトゥーチには、十分に気を付けてください。彼は私たちが行ったときには、70代後半でした。可能ならば、部族社会においてカトゥーチが信頼を置く人物の紹介を得た方が良いですが、初めて行く日本人には難しいでしょう。とにかく慎重に動くこと。危険なのは、彼だけではない。これをテーマにブーレルに入ったときから一定のリスクは伴っていることを理解しておいた方が良いでしょう」

別れ際、幸運を祈ると言ってくれた。

ミランの10番　サビチェビッチ

7月26日。ベオグラードから空路でモンテネグロの首都、ポドゴリッツアに向かった。「黄色い家」のあるアルバニアに入る方法として、B92クルーと同じルート。コソボではなく、モンテネグロからの国境越えを選ぶことにしたのだ。越境先はまずは西側の都市、シュコダル。そこからブーレル、そしてリューペ村という道行きである。モンテネグロをただ通過するのも何やらもったいなく、せっかくなのであの男に会って行こうと考えた。

モンテネグロサッカー協会の会長、デヤン・サビチェビッチである。94年に名門ACミランの10番として、チャンピオンズリーグ決勝でヨハン・クライフ監督率いるバルセロナをきりきり舞いさせて決勝の2ゴールを決めた男。知る人ぞ知る天才肌の選手で、このバルセロナとの大一番のように、たった一人で相手を圧倒することもあれば、オシム率いるユーゴ代表時代のイタリアW杯アルゼンチン戦では、ゴール前のフリーのシュートを外しまくってチーム敗退の要因になったこともある。

極めて感情とコンディションの起伏の激しい典型的なバルカン半島の選手だった。

そしてサビチェビッチもまたその半生をユーゴ崩壊によって揺さぶられてきた。

スロベニア、クロアチア、マケドニア、ボスニアと多くの共和国が独立していく中で、セルビアと最後まで連合国家体制をとってきたモンテネグロのカリスマであった彼は、2001年当時は、セルビア・モンテネグロ連邦の維持を、血を吐くように叫んでいた。「もうこれ以上、ユーゴが分離するのは、しのびない。だいたい人口60万人のモンテネグロが独立してどうやって経済活動をする？　セルビアという市場を失うわけにはいかないだろう。共同国家の存続が俺の願いだ」。自身も当時のセルビア・モンテングロ代表チームの監督となり、二つの国のかすがいになっていた。モンテネグロ独立派は、サッカーの世界にも圧力をかけてきたが、それを有無を言わせずにシャットアウトしたのが、サビチェビッチだった。

しかし、06年に独立の可否を問う住民投票が近づいてくると、その言説が翻っていった。モンテネグロ・ナショナリズムの高揚は凄まじく、もはや抗えないところまできていた。最後には、完全に独立派のスポークスマンとなったサビチェビッチのポスターは「独立はDa（＝イエス）」というスローガンとともにポドゴリッツァの至るところに貼られていた。

06年6月3日、住民投票は開票と同時にネザビスノ（独立派）の勝利が宣言された。民族主義に火が点くと、あっと言う間に加速度がつくことを学ばされた。とはいえ、モンテネグロの独立は、一滴の血も流さずに民主主義の原則に則って平和裏に成し遂げられた。これは評価されるべきことである。これがコソボとなると、セルビアは意地でも独立を認めるわけにはいかなくなるのだ。理由はやはり、「聖地」を内包しているからだ。

アルバニアに入る前にサビチェビッチに会って、人口60万人の小国のサッカー協会トップとしての話を聞いておくのは、悪いことではないと考えた。これからアルバニアの後に向かおうとしているコソボは、国は独立を果たしたものの、サッカー協会は、いまだにＦＩＦＡに加盟が出来ていないのだ。有益な情報があれば、同じ旧ユーゴの共和国として共有させたい。

待ち合わせをしたのは、アドリア海に面した風光明媚な街、ブドヴァである。夏季シーズンと重なって、観光客であふれたビーチのカフェにひと足早く着いて、ニクシッチビールを頼んだ。アドリア海のリゾートと言えば、クロアチアのドブロクニクが有名だが、私は素朴なモンテネグロ側の方が何となく好きである。

テラス席で目線を海岸通りに飛ばすと、やたら急発信、急加速を繰り返すバイクが目についた。「危ないなあ」。と、それがどんどん目の前に近づいてくる。ライダーはサビチェビッチだった。往年のACミランの10番は250ccのバイクから降りてフラフラと現れた。

ラフなスタイルで登場してくるのは要人になっても変わらない。この男に会うのは、06年の独立を問う住民投票以来、7年ぶり。国の進捗を聞くのにちょうど良い頃合いである。「やあ、デーヨ」。店の常連に声をかけられながら、席に着いた会長は、ガス入りの水を注文した。近況を聞くと、小国ゆえのやりがいと苦労をとうとうと語りだした。

「モンテネグロの独立に関する影響から言えば、代表について選手のモチベーションは確実に上がったね。選手たちは、ようやく自分の家を持てたという気分だ」。元々、モンテネグロ人は誇り高く、尚武の風を尊ぶ。かつてオスマントルコの軍勢がバルカン半島を攻めて、セルビア、マケドニア、コソボ、ボスニアとこの地を支配したとき、モンテネグロだけは唯一自治を守った。ユーゴスラビア研究者の故・田中一生氏は、その気質を「バルカンの山国の武人」とたとえた。

国民国家としてのアイデンティティから言えば、これ以上ない高揚がもたらされた。モンテネグロは人口約60万人で足立区とほぼ変わらない。帰属意識というものは、その範囲が狭ければ狭いほど高まる。セルビアとは言語も宗教も文字も同じであり、また巨大な市場を手放すことになるのにも関わらず、連合国家から離れる理由として、独立派は単独国家＝自分の家が欲しいという言い方をよくした。

ただ、その自分の家が小さ過ぎるのだ。サッカーのみならず、スポーツにおける普及や育成は、まず国内リーグの充実とともにあるが、60万人の人口では、おぼつかない。

「確かにリーグは弱いよ。今まで代表には、23人の選手の名前が挙がっているけれど、その中でモンテネグロリーグの選手は1人しかいないんだ。この国ではだいたい才能のある選手は18、19歳になると外国に出て行ってしまう。だから、国内リーグは空洞化している。最も大きなクラブ、ポドゴリッツァだってCL（チャンピオンズリーグ）に出ることはないだろう。ただそれは、代表には好都合だと割り切っている。若いうちから、ドイツやスペインのビッグクラブで揉まれて、代表に帰って来てくれればそれでいいんだ」

国内リーグを活性化するというよりも選手を育てて海外に売る、移籍金ビジネスに主眼を置いている。そのためにもやることは山積している。

「スタジアムを含めたインフラの整備があいからず遅れている。そこが、小さな国のつらいところだな。ＵＥＦＡ（ヨーロッパサッカー連盟）には、新興国に対するインフラ整備のプロジェクトがあるんだが、それに向けて働きかけていくことが俺の当面の仕事だ。予算を引き出して、人工芝のピッチを多く作りたいんだよ。この国は梅雨が長いだろ？　子どもたちには、ケガをして欲しくない。人工芝の上で支障なくプレーしてもらいたいんだ。それでモンテネグロの子どもたちには、サッカーを好きになってもらいたい」

あのサビチェビッチがこんな殊勝なことを言うのか……。見違える思いだった。

１９９1年のトヨタカップ決勝で、レッドスター・ベオグラードがチリのコロコロを下して世界一になったとき、キャプテンだった彼はピッチにおらず、国立競技場のスタンドからユニフォーム姿で仲間のプレーを見守っていたのだ。もちろん先発をしていた。前半19分、チリのＤＦを翻弄し、ユーゴビッチにラストパスを通して1アシスト。その後も卓越した技術で相手をかわして奔放にプレーを続けていたが、マークについたラミレスに苛立って、ボールのないところで頭突きを食らわしてしまったのだ。10番を背負ったエースであるにも関わらず、前半にレッドカードをもらってトヨタカップ史上初の退場者となった（10人になったレッドスターは劣勢になるどころか、そこから、2点を加えて、結局3対0で快勝するのだから、いかに当時のユーゴスラビアのサッカーが高いレベルにあったか、想像できよう）。

かように現役時代は絵に描いたようなエゴイストだった男が今、同胞の子どもたちのために慣れないロビー活動を続けているのだ。

「まあ、年齢を重ねれば、俺もそれなりにいろいろと考えるものだよ。これも初めて国を背負った自覚かもしれない」と笑った。

モンテネグロサッカー協会会長を務める元ACミランの「10番」、デーヨ・サビチェビッチ。

日本の本田圭祐が古巣のACミランに移籍をするようだが、関心はあるかと水を向けた。

「俺と同じ左利きだし、好きな選手だ。イタリアの新聞記事をよくネットで読んでいるので、ホンダ（本田圭佑）のミランへの移籍が現実味をおびてきたことは知っている。スーペルリーグで彼は素晴らしいゴールを決めたよな。俺の見る限り、ホンダは肉体的にも強い。1対1のデュエル（決闘）に対応できる選手だ」

サッカー協会の会長として隣国、コソボについてどう思うかと聞くと、慎重に言葉を選んだ。

「コソボについては、まだＦＩＦＡが承認をしていないが、慎重になるのも分かるんだ。アメリカの後ろ盾で独立したものの、国連に加盟している国の半分近くが国家として認めていないだろう。拙速に承認をすると、反発もあるだろう」

「黄色い家」のことは知っているかと訊いたら、首をすくめた。

「それも新聞で読んだ。あまり立ち入った話はしたくない。俺たち旧ユーゴの人間にとってコソボのアルバニア人は、どこか閉鎖的で保守的なイメージがあった。レッドスターにいたころプリシュティナでも何度か試合はしたが、サポーターが怖くてあれこそ完全なアウェイだったな」

旧ユーゴ時代に有名なアルバニア人選手と言えば、オシムに代表に抜擢されたファデル・ヴォークリとトルコの名門ガラタサライで英雄となったジェヴァド・プレカジの二人がいる。

「二人とも俺より年上だから、一緒にプレーした経験はない。ただ、尊敬すべき選手たちだ。ヴォークリは今、コソボ協会の会長だから、彼の苦労も分かる。俺の立場からすれば、ＦＩＦＡに加盟できるかどうかは、静観するしかないが……」

これがセルビア協会ならば、断じて認められないと言明するだろうが、サビチェビッチ、つまりはモンテネグロ協会としては、静観すると言った。実はこの国もアルバニア人問題を内包している。東部のトゥーズイという地域は、人口比で言えば、アルバニア人が圧倒的な多数派を占めているのだ。コソボの大アルバニア主義者によれば、この人口比を根拠に国境線をモンテネグロ内部に浸食していこうということになる。

「それはもちろん許されないことだ。ただ俺はヴォークリと選手たちが、サッカーをする機会を失うのは、断じて好まない。そもそも旧ユーゴの戦争に俺たちスポーツ界の人間は、何の責任も負っていないじゃないか。数ある民族に不幸をもたらしたのは、政治家だ。ヴォークリに会ったら伝えてくれ。ＦＩＦＡの加盟は地道に待つしかない。そして大切なのは、政治に利用されないように心がけることだ。俺たちは、それで酷い目に遭ってきたじゃないかと」

サビチェビッチとは、それから小一時間ほど、話した。アルバニア国境を越えて、シュコダルへ行くと告げると、それなら俺の知り合いのタクシー運転手を使ってやってくれ、と言う。「仕事を回してやりたいんだ」。異論のあるはずがない。

タクシーがやって来た。カードを差し出すので、見るとモンテネグロリーグのレフェリーの名刺だった。仕事を回したいとは、こういうことか。レフェリーだけでは食べていけない。かつてのエゴイストはすっかり、人としての風格をそなえていた。

国境を越えてアルバニアへ

タクシードライバーの名前は、ドラガン・ブヨビッチと言った。嬉しくなる名前ではないか。ドラガン・ストイコビッチとズラトコ・ブヨビッチが合体しているのだ。90年イタリアW杯、スペイン戦でのスーパーゴールは、このブヨビッチからのクロスをスレチコ・カタネッチがバックヘッドでそらし、それをピクシーことストイコビッチがキックフェイントからの一撃で決めたのだ。

「ははっ、俺の名前を聞いた客からは、それをよく言われるな。あのゴールはボスニア人のブヨビッチからスロベニア人のカタネッチに流れて、最後はセルビア人の10番が美しくゴールした。そしてボスニア人の監督オシムに抱きつきに行った。旧ユーゴの象徴のようなプレーだった。俺がサッカーを好きになったのもあの試合を観たからかな」

ブヨビッチは回顧しつつ、「まあ、でもノスタルジーはここまでだ」と言った。「俺たちは本当に自分の国を手に入れた。あとはここでやるだけだ。デーヨ（サビチェビッチ）は会長の仕事でよく動いてくれている。何と言ってもベルルスコーニとのパイプがあるからな」。イタリアのメディア王であり、首相経験者のシルヴィオ・ベルルスコーニはＡＣミランのオーナーとして、現役時代のサビチェビッチをことさら可愛がっていた。小国が生き残る上で、民間の外交官はやはり不可欠なのだ。

ブヨビッチの運転であっけなくアルバニア国境を越え、やがて目的地シュコダルに到着した。ここで私は二人のアルバニア人を事前に雇っていた。B92の女性ディレクター、デスポトビッチの助言に従って、現地の取材協力者を確保したのだ。「黄色い家」に向かうにあたり、ベストの準備は彼女の言った通り、地元のメディア関係者のサポートをもらうことであるが、どこの馬の骨とも分からぬ日本のフリーランスがいきなり来て「黄色い家」まで一緒に行って欲しいと依頼してもその信頼関係を築くには、時間がなさ過ぎる。この手術施設の存在については、ディック・マーティの報告書が出て以来、アルバニア当局も神経過敏となっており、記者たちもリスクを伴うのだ。考えた末、私が選択したのは、ビジネスライクに地元の旅行会社のスタッフに依頼することだった。ホテルと車の手配、そして「黄色い家」のある場所までのガイドだ。中途半端にジャーナリストや自治体職員などに道行きを頼んで議論するよりも、移動のプロに頼んで、あとは出たとこ勝負という目論見だった。

リサーチすると、少人数でも手配旅行歓迎という旅行会社が見つかった。そこの経営者のアントン、若手スタッフで英語ができるクリスティアンの二人とのアポイントが取れていた。冷房のない木賃宿のようなホテルで待ち合わせをした。シュコダルから、拉致被害者が収容されていた病院のあるブーレル、そして「黄色い家」が存在するリューペ村まで行って欲しいと単刀直入に伝えた。二人は顔を見合わせた。客に手配を頼まれれば、宿もガイドも車も動かすが、さすがに「黄色い家」には、彼らも行ったことがなかった。そしてアルバニア人にとっては加害の戦争組織犯罪を突き付けられる現場でもある。彼らが二の足を踏んでもおかしくはない。「『黄色い家』など、セルビアやデル・ポンテのでっち上げだ」と断定口調で拒否されれば、それでおしまいだ。しかし、二人はプロだった。「俺たちは、場所さえ分かれば、そしてギャラさえ払ってくれればその場所に連れて行く。リューペ村だな?」「そうだ。ブーレルからさらに山の奥に入った小さな集落らしい」「分かった。調べておく」

「引き受けてくれることはありがたいが、君たちの民族にとって不利益なことが報道される。それは良いのか?」

「正直に言えば、そのことには、あまり関心はない。臓器を抜き取っていた『黄色い家』という施設の存在が、ディック・マーティによって報告されたときは、アルバニアでも報道されたし、俺たちも耳目にした。カトゥーチというアルバニア人の管理人がいて臓器の摘出を仕切っていると聞いた。同胞がそんなことをするわけがない、こんなものは嘘だと言う市民はたくさんいたし、俺も信じたくはない。ただ、事実だったとしても驚きはない」。この国の、特に農村地方においては、法よりも人が支配するケースが多いことを、そこに行こうとしているアントンは自覚している。だからこそ、自民族の正義や大義というよりも事実として向き合おうとしている。信頼できると思った。

横浜FCにやってきた亡命アルバニア人選手ルディ・バタ

明日の仕事を前に食事をしようと、外に出た。シュコダルは湖のほとりの町なので淡水魚の料理が名物だ。ぶらぶらと歩いて、手ごろなグリルに入った。あえて政治の話を避けて、食に集中した。マスやウナギが美味い。そしてこれはＥＵに入っていない国に共通するのだが、トマトもキュウリも野菜がどれも濃厚な味がする。地産地消なのだ。そして望外に物価が安い。ディナーが一人分５００レク＝５００円だった。

夜風にあたりながら、少しぶらつくと、イスラム教のモスクとカソリックの教会が視界に入った。現在は多様な宗教が共存している。「何か、サラエボを思い出すな。昔は教会の代わりにトーチカだったのに」とアントンに振ると、「俺の親父の頃の話だ」と苦笑した。

かつてこの国は、労働党第一書記のエンベル・ホッジャが独裁を敷き、全ての宗教を否定していた。１９６７年には、宗派を問わず、あらゆる教会を破壊して、神への信仰を違法とした。代わりに、軍事戦略も治政も考えず、やみくもに約75万基のトーチカを国内全土に建設した。まったく無用の長物となっていたこの軍事施設をクロアチアの女性作家、スラヴェンカ・ドラクリッチは「共産主義の巨大な牢獄」と称した。ソ連を批判し、中国寄りになっていたホッジャは、一切の私有財産を認めないヨーロッパ版の文化大革命を展開した。外国からの借款や投資を禁止した上に１９７８年に完全な鎖国を行い、市民や外国人の移動の自由を徹底的に制限したのである。この最大権力者は85年に死去するが、跡を継いだラミズ・アリア第一書記は、独裁を踏襲した。その結果、アルバニアは大量の難民を流出させている。密航船に鈴なりになってアドリア海を渡る者、崩壊する前のユーゴスラビア、すなわちコソボにフットピープルとなって逃れる者、シュコダル湖をモーターボートで横切ってモンテネグロに入る者……。

（そう言えば……）ここシュコダル出身の亡命サッカー選手のインタビューをしたことを思い出した。

「ルディ・バタという人物を知っているか？」アントンに聞くと、「もちろん」何をいまさらという顔をした。「この町で生まれ育った元アルバニア代表だ。亡命したことも、ほとんどのヤツが知っている」「2003年に日本の横浜FCというチームでプレーしていたんだ」「へえ、そうだったか、スコットランドに流れてセルティックでヒーローになったのは、覚えていたが、日本にも行っていたのか」「うん、Jリーグにアルバニアの選手が来るのは初めてだったから、興味を持ってすぐにインタビューを申し込んだ。初めて会ったときから、かなりつらい半生を詳しく話してくれた」

アルバニアの国家代表選手だったバタは、一党独裁の管理国家でプレーすることを心底嫌っていた。「とにかく生まれたときから、密告社会で、俺の友だちは『この配給のパンは固くてまずいな』と言っただけでチクられて逮捕されたんだ」。バタは私が、「ホッジャの時代に生まれたあなたは……」と問いかけたとたん、通訳を待たずにこの人名に即座に反応した。「あんな酷い時代はなかったぞ！　エンベル・ホッジャはヒトラーよりもスターリンよりも極悪政治家だ。あの時代のアルバニアよりも悪い政治は他のどこにも存在しないだろう！」と自らが受けた圧政への怒りを隠さなかった。

1991年、3月30日の未明。彼は欧州選手権の予選でフランス代表とパリで試合をした直後、アルバニア代表のチームメイト7人とともに、スパイクだけを手にしてホテルを抜け出し、中央警察に駆けこんで難民保護を求めた。この亡命は成功し、FIFAの認める1年間の出場停止のペナルティを経たあと、後に松井大輔が所属するルマンでプレーを再開し、やがてスコットランドの名門セルティックからオファーを受けて、中村俊輔の前の背番号10を背負う。95年のレンジャースとのグラスゴーダービーでは、25mのFKを決めて一躍ヒーローとなった。この間、92年3月にはついにアルバニアで共産党政権が倒れて、帰国が許されていた。

「バタは『あの暗黒時代は、シュコダルの二人に一人が秘密警察だった。俺は自由が欲しかった』と言っていたな」「彼の勇気はここでも称賛されたよ。独裁が終わって代表チームへの復帰が許されたときは、堂々とキャプテンをやっていた。自由へ向かって飛び出した経験も評価されたんだ」

特筆しておくべきことは、この92年までの独裁時代は、アルバニア本国よりも豊かなコソボでの生活をほとんどのアルバニア人たちが望んでいたということだ。このドライな事情が「お前ら、ユーゴ内で自由と豊かさを享受しながら、今になって独立が欲しいとか言うなら、祖国のアルバニアに帰ればいいじゃないか！」というコソボの極右セルビア人たちのヘイトスピーチの論拠になっていた。

アントンが突然、「あっ、ちょっと待ってくれ」といきなり走り出した。

通りの向こうにいた一人の初老の男性に声をかけると、こちらに連れ添って来た。誰だ？「この人はルディ・バタの叔父さんだよ」。えっ！　アルバニアは地縁、血縁の社会だが、たったいま噂をしていた人物の親族に、こうも偶然にばったりと会えてしまうものなのか。

「ルディに日本で会ったのか？　それは甥が世話になった」

「いえ、貴重な話を聞かせてもらいました。彼が亡命したあとは、家族や親せきには公安から、圧力はなかったですか？」「それを本人がとても気にしていた。母親に警察から嫌がらせみたいなものはあったが、粛清はされなかった。ちょうど、あと1年で酷い独裁が倒れるときだったし、時期が良かったのかもしれんな。もっともそのあともうちの国は大変だったが」。ヨーロッパ最貧国となっていたアルバニアは、共産主義体制が崩壊後も迷走する。長年に渡る鎖国で外貨獲得の術を知らず、武器の密輸に手を染めていたのは知られた話である。イリーガルな二重経済は危うく、自由経済の導入についても資本主義の免疫がない市民の間にあっと言う間にネズミ講が広がり、97年には国家が破綻しかけた。

「横浜でルディに会ったときは、兄が日本に遊びに来ている、と言っていました。彼のお兄さんもボートピープルだったそうですね。俺たちは兄弟そろって親不孝だと。ルディは今、何をしていますか？Jリーグでキャリアを辞めてヨーロッパに帰ってからのことを知りたかったのです」

「こちらに帰って来て選手の代理人をやっている。目をつけた有望な選手を入団させたり、移籍させたりして忙しそうだ」

思わぬところで、消息が摑めた。明日にはシュコダルを出てしまうが、ルディに会ったらよろしく言って欲しいと、叔父に伝えた。日本のスポーツメディアはほとんど注目しなかったが、ルディ・バタは過去に政治亡命した選手が、日本サッカー界で選手登録をした初めての例であった（2021年には、ミャンマーの国軍クーデターに反発したピエリアンアウンがフットサルで登録している）。

その選手が引退後に、かつては棄てた故国に戻って自分が愛したサッカーを生業に、しかも移動の自由を前提にしたエージェントという仕事で禄を食んでいる。

アントンとクリスティアン、二人に別れを告げて、冷房のないホテル・トラディタに投宿した。シングルで1泊35ユーロだった。

「黄色い家」へ

7月27日。最初の目的地であるブーレルでは、「絶対に車から降りるな」とアントンに厳命された。B92の番組でレポートがなされて以降、町の雰囲気自体が外国人の取材にはかなり過敏になっていると聞いていたが、想像以上だった。臓器摘出の手術が行われていたという精神病院＝別名監獄320の前には、警官が配備されており、撮影は不可能だった。「見て分かるだろう？　ブーレルという町自体が、外国人を警戒している」。徐行スピードで周囲を2周する間に動画を撮影した。警備が厳重であること自体、不審なものを感じざるをえない。「もしかして町ぐるみで真相を知っているのか?」「そうかもしれない。今更、ここで誰に何を訊いても口をつぐむだろうな」

デスポトビッチが、監獄３２０を背景に立ち、レポートをする際に、警察と民間人の両方から凄まじい妨害にあったと言っていたのを思い出した。このときに彼女に取材協力したアルバニア人は、カメラの前でこう証言していた。「なぜ我が国の政府関係者が、国家の腐敗に対応する義務を果たさないのかと言えば、この地ではまだ士族間の『血の復讐』の習慣を守ろうとする人々がいるからです。その中には法治国家の番人たる警官もいます。殺人を犯した人間を法で裁くのではなく、被害者の家族からの報復を看過する。残念ながら、そんな人治社会がまだ残っているのですから、内部告発などは困難です。臓器密売に関しても、外部に漏らしたことでの報復を恐れているのです」

そのＢ92の番組『リアクション』が放送されて以降、警戒がさらに進んでいた。先ほどから、アジア人の乗っている車に対して、静かな町のそこかしこから敵意を含んだ射るような視線を感じる。一度、車外に出て、キオスクに入って臓器犯罪について聞こうとしたが、いきなり顔色が変わり、人を呼ばれかけた。肝心の「黄色い家」のあるリューペ村に向かう前にトラブルを起こすのは得策ではない。ブーレルでは、実景の撮影と周囲の雰囲気が撮れたことでＯＫとした。いよいよ、その「黄色い家」に向かう。地図を頼りに車を発進させた。15分ほど山に向かって走っただろうか。舗装した道路が潰えてきた。

「ここで車は置いていく」とアントンが言い出した。「どういうことだ?」。ブーレルから「黄色い家」までは20キロと訊いていた。まだ10キロしか走っていない。「ここから先はもう車では行けないのだ」。

確かに遠目には、埃だらけの山道しか視界には入らない。

「俺も地元の連中に聞いて調べたんだが、リューペ村に行くには最後は歩いて行くしかない」。アントンが聞き込んだところによると、中途半端に普通の車で進むと、道がなくなって進退窮まるので、早い段階から、歩いて向かった方が良いということだった。

「黄色い家」に向かう道の途中で、ロバをひいた親子に出会う。町へ買い物に行くのだという。

思い出した。ディック・マーティの報告書には、「黄色い家」から臓器はヘリコプターによって運ばれたと記されていた。

方角を確認して歩き出した。民家は消え、山道はところどころ畔道のように細くなり、やがて山中で動いているのは、完全に我々だけという状況になった。7月の陽光を浴びながら、緑の中を歩く。人っ子ひとりいない。と、向こうから、ロバを引いた親子がやって来た。町に買い物に行くのだそうだ。「この辺りの交通手段はこれだよ。車はあてになんねえからね」。おとぎ話のように現れて、視界から消えて行った。のどかと言えば、のどかだ。しかし今から向かうのが、拉致被害者から臓器の摘出を行い、殺害後に周辺に埋めたという施設なのだ。緊張は解けない。それはアルバニア人の同胞であるアントンもクリスティアンも同様だった。彼らにしても怖くないはずがない。コソボ政府の母体であるKLA（コソボ解放軍）とアルバニア政府が結託していた臓器密売ビジネスは、国家間の闇の仕事であり、それを暴く所業をすれば、官憲に睨まれてこの国で生きづらくなるだろう。

目的地に向けて歩を進めながら、私はKLAによって父親がアルバニアに拉致されて殺されたというラーデ・ドラゴビッチのことを思い出していた。ドラゴビッチは、生まれ育ったコソボのペーチから追われて、セルビア中部の都市、クラグエヴァッツに逃れて来ていたコソボ難民だった。

彼の父親プレドラグはＮＡＴＯの空爆の最中、99年5月にコソボで行方不明となっていた。ＵＮＭＩＫ警察に捜索願いを出し、ベオグラードの「家族会議」にも届けをした。しかし、定期的に送られてくる死亡者のリストにも名前はなく、遺体があがることもなかった。突然、消息が分かったのが、紛争終結後にＩＣＴＹの戦時法廷が始まってからであった。戦争犯罪人が起訴され、戦場での写真がメディアに向けて公開されたのである。その中にＫＬＡ兵士が犠牲者と写っている写真があった。ドラゴビッチは、驚愕する。遺体は自分の父親だったのである。

拉致被害者の家族ラーデ・ドラゴビッチ。父親が殺害されたことを伝える新聞記事を前に。

ドラゴビッチは、私に掲載されているクリール紙を見せた。

同紙は、２００９年2月24日号に元ＫＬＡ兵士サビット・ゲーツィがセルビア人市民のプレドラグ・ドラゴビッチを殺害していたという記事と写真を掲載していた。この記事が出た頃から、戦争犯罪の捜査が始まり、数日前にゲーツィは起訴されたのである。実名を出したこの調査報道が検察を動かしたのであるが、その証拠として殺害されて地べたに置かれた遺体とその袖を摑んでいる軍服姿のゲーツィの写真がある。むごたらしさに目をそむけたくなるが、ドラゴビッチは、感情を押し殺しながら淡々と告げた。「遺体の口ひげ、鼻、唇、それにあごひげをみて、それが明らかに父だと分かりました」。

ＫＬＡ兵士が所持していた写真がセルビア側検察にもたらされた

ことで、その戦争犯罪が一気に表に出てきた。写真の裏側には、「アルバニア、コシャレ、1999年5月22日」と記されてあった。コシャレは、コソボとアルバニアの国境の町であり、KLAの前哨基地があった場所である。写真はコソボ内で拉致されたセルビア人がその後アルバニアに連行されたことを示す重要な証拠とされた。セルビア側の検察は、他にもKLAから没収した写真に写っている10人ほどの民間人がアルバニア北部で殺害されたとしてその名前を公表している。NATO空爆時にKLAと友軍関係を結んでいたNATOと米軍が、この拉致殺害を知らないはずがない。

あまりに惨い父の死を突き付けられたドラゴビッチはしかし、最後まで冷静に言葉を紡ぎだした。「私のような拉致被害者の遺族が、少なくとも3000人以上はいるが、我々はずっと無視されてきた。あなたが記者なら、その無念さを世界に知らせて欲しい」。彼はB92の取材にも顔を出して答えている。どれだけこの言葉を取材者に差し出してきたのだろう。

やがて、ぽっかりとした山中の草原に出た。視線を上げると向こうに、目指す「黄色い家」がぽつねんと見えた。存在しているのは、この一軒だけ。刹那、悪寒が全身を走った。360度、人っ子ひとりいない。誤解を恐れずに言うなら、むしろ、銃弾飛びから戦地の方が、人間がいる分まだ怖さはない。ここでどんな非道な所業がなされようとも、外界とは遮断されている。撃たれようが、拘束されようが、誰も気づかない。だからこそ、この家が選択されたのだろうが。

「いきなり外国人が訪ねて行くのは、危険だ。ここはアルバニア人の俺が行くから」。100mほど手前でアントンが先見を買って出てくれた。「気をつけて行ってくれよ。全然、無理はしなくていいから、危険を感じたら、すぐに戻って来てくれ」。彼の身の安全はクライアントの自分が担保しなくてはならない。坂を上がり、家に向かって行くアントンを見守った。やがて、その背中は家の中に消えていっ

ぽっかりとした山中ののどかな草原の向こうに見える「黄色い家」。

た。

陸の孤島という言葉があるが、ここを探し出したデル・ポンテの調査能力にあらためて舌を巻いた。それにしても管理人のカトゥーチ一家は、まだ本当にここに住んでいるのだろうか。周囲では牛が草を食んでいる。かろうじてそれが、生活者の匂いを残している。草叢の向こうに盛り上がった土くれがいくつか見える。あれが遺体を埋葬した跡だろうか。近くに移動すると、ジャリと砂を踏む音が耳に入った。それだけ静淑であることに気づく。ここで「黄色い家」は10年以上も営みを続けてきたのか。墓標があるわけでもない。拉致被害者が連れて来られた時の恐怖と、亡くなってまでも粗末に扱われた人々の無念さを想像せずにはいられない。

管理人カトゥーチの一言

15分も経過しただろうか。突然、家の中から、老人が飛び出して来た。遠目からでもそれが誰だか分かった。「カトゥーチだ！」。こちらに向かっている傍らにアントンがいる。走りながら、カトゥーチに抱き着き、肩を抱きながら、クールダウンさせようとしている。まるで子どもをあやすように、背中を手のひらでパタパタと叩いているのだ。

「●※○§〜！」。怒っている。カトゥーチは、深い皺が刻印された顔面を真っ赤に染めて怒っていた。アルバニア語はまったく分からないが、振り上げる拳、追い払う手つき、遠方を指さす所作から、出て行け！　帰れ！　と言っているのは、分かった。クリスティアンも一緒になだめてくれるが、興奮は収まらない。カトゥーチは手に持っているカメラに異常に反応する。突然の訪問を詫び、あいさつをして右手を差し出したが、握手どころではなかった。怒鳴られながらも嵐が過ぎるのを待つしかない。何も言わなくても目の前の日本人が、臓器密売の簡易手術について聞こうとしているのは、自明である。「絶対に俺を映すな、映したらお前を吊るすと言っている」とクリスティアンが小声で伝えてきた。

怒りが収まったというよりも、怒り疲れたのだろう。罵倒が止んできたころに、この家のことについて知りたくて取材に来たと伝えた。通訳が入るのでテンポがずれるが、とたんにまたカトゥーチの憤怒のバロメーターが上がった。

そこから冷静に粘った。「いきなりやって来たことは申し訳ないが、あなたには連絡の取りようがなかったからだ。それについては申し訳ないが……」。アントンがぴったりと肩を抱いて相変わらず、パタパタと叩いている。それもあって少しずつ、カトゥーチの気持ちの高ぶりは収まっていくようだった。取材はするが、自分はデル・ポンテのような外国の検事ではないということを強調した。怪しむのならばと、パスポートナンバーを控えさせた。アントンも自身のＩＤカードを見せた。カトゥーチにしてもすでにＢ92などのメディアの取材はいくつか受けている。ジャーナリストとの接触は初めてではないはずだ。「それなら」と彼は要求してきた。「話を聞きたければ600ユーロ払え。撮影もさせてやる」

600ユーロ。払えない額ではない。あるいは交渉すれば、多少は値切れるであろう。日本のメディアにすればこれは初出で、スクープとなるだろう。しかし、この提案を訊いて私は逆にキレてしまった。

14年前に行方不明者の遺族と知り合い、拉致の事実を知った。都市伝説のようにアルバニアに連れて行かれて臓器を取られているという風評は以前からあった。そこにデル・ポンテの著作による告発があり、ディック・マーティが公式報告書を上げて事実であることが分かった。そしてここまでやって来た。カトゥーチは直接的に臓器摘出や殺害に関与はしていないにせよ、家を管理しており、もしかすると、組織犯罪、国家犯罪の協力者であることは間違いない。もしかすると、Ｂ92もインタビュー謝礼を払ったのかもしれない。しかし、ここで払えば、また新しいビジネスが始まる。即座に提示された600ユーロとは？　この価格設定の裏付けは何だ？　あの粗末な墓地を見たこともカトゥーチにカネを払うことを拒絶させた。今度は私に怒りが込み上げてきた。もう十分だ。巨悪は他にいるのであって、カトゥーチにすれば、歪んではいるが、それなりの「愛国心」からの場所の提供なのかもしれない。しかし、何の罪もない市民を拉致しての臓器密売ビジネスに加担した人間の

©ロイター／アフロ

メディアの取材に、手に持ったコーランを見せながら、「この家では誰も傷つけていない」と弁明するカトゥーチ。

小銭稼ぎの端緒になってたまるかという思いがあった。たとえカメラを回しても真実を語るわけがなく、「本人に質問を当てました」というアリバイにしかならない。ならばこれで十分だ。「600ユーロの現金がないわけではない。それでもカネを渡すのは断る」と伝えた。これが、怒りを再点火させた。

カトゥーチの恫喝が始まった。「何も関係ない。ここには何もない。この土地から出て行け！ 血の掟で復習するぞ」。そして決定的な言葉を吐いた。「俺はタチの仲間だぞ。いつでもあいつと連絡が取れるのだ」。関係ないと言いながら、コソボの首相である元KLA司令官のタチとの関係を自ら口にした。語るに落ちた言質がこれで取れた。もう十分だ。

追い立てられた。アントンとクリスティアンには「よくやってくれてありがとう」と告げて、帰路につくことにした。振り返ると、カトゥーチはこちらをじっと見ていたが、やがて踵を返して家に向かっていった。（徒歩でまた一時間歩くのか）……帰りは無言だった。

やはり、真っ先に脳裏に浮かんできたのは、オイラニッチの顔。次に医師である夫、アンドリヤを拉致されたベリツァ・トマノビッチ。半生をコソボの医療に捧げてきた64歳の医師が必死に抵抗していたと、アルバニア人の知人が勇気をもって証言してくれた。オイラニッチの両親やアンドリヤがブーレルの監獄320やこの「黄色い家」に連れて来られたのかどうかは分からない。しかし、拉致とこの組織犯罪が事実として浮かび上がってきたときの彼女たちの心象を想像すると、その苦しみは、計り知れない。

息子のスロボダンを拉致されていたミロラドとデサンカの夫婦は、消息を知りたくて「家族会議」に毎日通ってきていた。特定できた実行犯、息子の友人をUNMIK警察に訴えたが、不公正な米軍統治の中で犯人は不起訴になった。デサンカは言った「教えて欲しいのです。なぜ、私の一族はこんな目に遭わなくてはならなかったのか」。

山道を歩きながら、考えた。「黄色い家」まで来て、カトゥーチの言動を見た。法がまだ機能していないアルバニアの士族社会と地域性、そしてコソボとアルバニアという二つの国家の思惑が結びついた犯罪と言えるかもしれない。

しかし、私は問題のすべてを、民族性に回収してしまう「アルバニア人は――」という見方も書き方もしたくない。

この組織犯罪にも真向から向き合い、批判をしているアルバニア人もいるのだ。

アルバニア（本国）の作家、ファトス・ルボーニャは雑誌「南東ヨーロッパ」に寄稿した中で、ＫＬＡが行った数々の戦争犯罪に対して、現在のコソボ政府とアルバニア政府が沈黙、あるいは擁護していることを強く批判している。特にＫＬＡの司令官からコソボの首相になったラムシュ・ハラディナイが民間のセルビア人やロマを攻撃対象に据えたという人道に対する罪で訴追されながら、ＩＣＴＹで無罪判決を受けたことに対しては〝証拠が数々あったにも関わらず無罪となったのはおかしい〟と主張している。

デル・ポンテもまた「ハラディナイは戦争犯罪人だが、それをＮＡＴＯも国連も指摘しない」と述べている。ルボーニャのこの記事に対しコソボ、アルバニアの両政府は強く反発した。またハラディナイの政党「コソボの未来のために同盟」の広報はツイッターで「ルボーニャは売女の息子」、「ルボーニャはセルビア人だ」などと中傷していた。

ドライブインで見つけた独裁者のCD

無言のまま、また1時間歩いて、車を停めたブーレルに辿りついた。日はまだ高かったが、不思議と汗は引いていた。アントンが気を遣ってくれた。「写真を撮ろうか。何かあれば、俺が証人になってやるよ」。彼らも同胞の犯した犯罪に傷ついているのだ。

「これから、コソボに向かうんだよな。高速道路ができているから、それでぶっ飛ばせば速いぞ」

手配旅行としては、最後にペーチに行ってもらう約束をしていた。

気持ちは重たかったがドライブは快適そのものだった。米国を中心とする西側からのコソボに対する援助はゴージャスで、インフラは見違えるように整備されていた。士族社会、筋肉弛緩剤、無縁墓地……。舗装されたばかりの青々としたハイウェイを疾走していると、ほんの数時間前のそれらの出来事が幻であったのかような錯覚に陥った。

「黄色い家」の取材を終えて国境に辿り着いた。

再び現実に引き戻されたのは、国境のできたばかりのドライブインで小休止したときだった。ドリンクから食品まで、バルカン半島では、これまた珍しい豊富な品揃えの店内で、アルバニア民族音楽をチェックしようとCDラックを覗いた瞬間、予想だにしなかったものが、飛び込んできた。「これが今、売れているのよ」と女性店員がさし出したそれは、「エンベル・ホッジャの演説集」だった。何のエンタメ性もない、自国の共産主義を礼賛する猛々しいスピーチが、入っているだけの音源だ。「ホッジャ？　あいつは、世界一最悪の独裁者だ！」と吐き捨てたルディ・バタがこれを見たら、何と言うだろうか？

文化大革命によって国を荒廃させた毛沢東が中国で再び人気を博しているように、アルバニアの象徴としてホッジャが今、ブームになっているという。根底にあるのは、ナショナリズムだ。今更言うまでもないが、ホッジャの圧政は市民から自由を奪い、大きな苦しみをもたらした。だからこそ、バタのように命がけで逃走する難民が大量に生まれたのだ。しかし、その独裁は「強い指導者」というイメージを仮託させる。勃興する民族主義の前では、行った悪政など、どうでも良く、ただただアイコンが求められる。陽光が天窓から降り注ぐ、近代的なレストランとスーパーマーケットが隣接されたドライブイン。そこに忽然と置かれた鎖国と密告管理のエンベル・ホッジャ。

バタが見たら、こうも憤るだろう。「南の連中が言うなら、まだ分かる。ここは俺らの北の土地だろう！」。アルバニア人もさらに北と南で二つの部族に分けられる。ホッジャはアルバニア南部のトスク族の出身でトスク方言を公用語とし、これを北部のゲグ族に強要した。北部地域の住民は生まれながらに国内で差別を受けていたのだ。繰り返すが、だからこそ、難民が大量に流出したのだ。弾圧の史実さえも飲み込んで神格化するという凄まじいギャップと矛盾だが、民族主義が沸点に達したこの現象こそが、ＮＡＴＯ空爆後のコソボ・アルバニアを表しているとも言えた。コソボ国会に議席を持つ新興政党の自己決定運動党（ア

独裁者エンベル・ホッジャの演説集のCD。

ルバニア語でヴェトヴェンドーシVETEVENDOSJE）は、タチの極右主義でさえも生ぬるいとして、「アルバニア本国とコソボの合併」をマニュフェストに掲げている。そして国境をなくして強大な大アルバニアを建国してしまうこの公約はコソボ国内で大きな求心力を持って迎えられている。「黄色い家」の問題を自浄するどころではない。ＣＤジャケットのホッジャはにこやかに笑っていた。

国境を越え、ペーチの安宿前で車を降りると、そこでアントンとクリスティアンに厚く礼を言った。彼らがいなければ、カトゥーチには辿り着けず、取材は成立しなかった。最後に気になっていたことを伝えた。「俺の仕事を手伝ってくれたことはありがたいが、同胞を裏切った行為として、これから周囲から攻撃されないか？」。二人は声を立てずに笑った。「何を言っている。客を頼まれた場所に連れて行く。これが俺たちの仕事だ」「それに俺たちも真実を知りたいのだ。周りのヤツらは『黄色い家なんていうのは、ありえない。ヨーロッパやセルビアがでっち上げたデマだ』と言っているが、そうじゃないことが分かった。それがこの仕事を引き受けて良かったことだ」

「自分ら、真の愛国者やな」

陽が暮れてきた。別れを告げた。

３―オシムの思いを受け継ぐコソボサッカー協会会長

トップリーグのコミッショナー

翌朝、目が覚めてから、考えた。ペーチを訪れたのは、ポポビッチの生家を訪ねて以来である。今、彼はＦＣ東京の監督に就き、相変わらず、徹底して攻撃サッカーを貫く独自のスタイルのサッカーにこだわり続けている（この年はＦＣ東京のクラブ史上最多得点61ゴールを記録していながらも、８位でクビになっている）。せっかくの機会である。ポポを知っているサッカー関係者がいないか、探すことにした。セルビア人たちは根こそぎ追い立てられて故郷を捨てているが、アルバニア人でかつてのチームスタッフはいないだろうか。フロントのサッカーが好きそうなスタッフに相談すると、トップリーグ（スーパーリーグ）のコミッショナーが、ここペーチにいるという。そういう人物なら、多くの人脈と情報を持っているに違いない。小さな町だから、要人は皆、顔見知りなのだ。入手した携帯番号にかけて、とにかくあなたに会いたいと伝えると、ホテルに来てくれた。コミッショナーの名前はイスメット・アフメーティーと言った。うちのクラブに案内しようというので、道々、話を聞く。

「コミッショナーはコソボ協会のＦＩＦＡ承認の見通しについてはどのように考えていますか？」

「そこは、政治との絡みで簡単にはいかないとは思う。しかし、最悪でも2年以内には認めて欲しい。

今このペーヤ（アルバニア語でのペーチ）には約300人のプレーヤーがいる。FIFAに加盟できれば、W杯という目標ができて一気に盛んになるはずだ」

サッカーはまずFIFA加盟が第一歩である。それがなければ、世界とは繋がれず、実質的に存在しないものとされてしまう。

「あなた自身の選手キャリアを教えてもらえますか」

「私はこの町のブドゥチノスト・ペーチのジュニア・カテゴリーで1960年にプレーを始めた。その後、高校はクロアチアのリエカに行き、やがてコソボに戻ってきて、91年にペーチのコーチになった」

ならば、と思った。

「ランコ・ポポビッチというかつてこのブドゥチノスト・ペーチでプレーしていたセルビア人の選手を覚えていますか」

「覚えているも何も……」

アフメーティーは、顔をほころばせた。

「近所に住んでいたよ。彼の父親と私は非常に仲が良かった。とても勤勉な男でね。ただその父親が亡くなったとき、ランコはまだ未成年だった。私が次に彼を見たときは、すでにベオグラードに行ってパルチザンでプレーしているところだった」

東京に戻ったら、ポポに教えてやろう。古巣のクラブで指導していたアフメーティーに会ったぞ。今やリーグのコミッショナーだぞ、と。

「ここだ」アフメーティーに導かれてスタジアムのゲートに入った。看板を見るとチームの名前が違っている。「これは？」

「もうブドゥチノスト・ペーチではなく、今はベサ・ペーヤというのだ」

全てアルバニア語の表記になっている。（それにしてもよりによってベサか）頭の中にあったその言葉の意味を辿った。念のために訊いた。

「ブドゥチノストはセルビア語で未来という意味ですが、ベサはアルバニア語で何を意味しますか」

「『誓い』だろうか。何か約束をする時、我々アルバニア人は、『わかったベサを与える』という言い方をする。約束、誓い、信頼を意味する言葉だ」

合法、非合法を問わずベサは、アルバニア文化の根幹を成す概念と言われている。かつてプリシュティナの若い友人、ファトスに訊いたことがある。アルバニア・マフィアは組織に入る際に口頭による宣誓を行うが、それがこのベサで、強烈な行動規範を伴う。10代で盛り場を闊歩していたファト坊は言った。「ベサの名の下に行われた約束は契約書とか必要としないんだ。そこで大きな絆ができる。その代わり、裏切りは絶対に許されない。血の復讐に繋がるんだ」

イタリアのマフィアにおける「コーザ・ノストラ」（我らのもの）に通じるものがある。

「ただ、クラブの名前に付けたベサの意味には、もう一つある」

もったいぶるように言うアフメーティーの様子から、こっちの意味の方がメインだということが分かった。

「１９３０年代にアルバニア人のための政治結社が作られていたのを知っているか？　その名がベサ。設立したのはハジ・ゼカという民族主義者だ。気がつかなかったか？　彼の銅像が町の中にある」

ハジ・ゼカは1899年にペーチで結成されたアルバニア民族運動組織＝ペーヤ連盟の指導者の名前である。ペーヤ連盟の流れが政治結社ベサになる。ハジ・ゼカはアルバニア人の自治拡大のために戦った英雄で、最後はオスマントルコ帝国の意を含んだセルビア人工作員によって暗殺されている。民族解放という大義があるとはいえ、政治組織の名前をそのままサッカークラブの名前にするのは、どうなのか。Jリーグで言えば、ロアッソ熊本がFC神風連、サガン鳥栖がFC憂国党というようなものではないだろうか。ここまで民族色が強くなると、このクラブにアルバニア人以外の選手が入団することは困難だろう。国家代表と違って、クラブチームは地域を公ととらえて、そこに生きるすべての民族を含みこむ存在であらねば、と思うのだ。「あなたは何人なのか？」と民族籍を問われたオシムがよく、「私は何民族でもない。私は（生まれ育った）サラエボっ子だ」と答えていたのを思い出す。

ポポは常々「幼少期の私に最も影響を与えてくれたのはペーチのアルバニア人監督だった。今でも感謝している」と吐露していたのだが……。政治の影響を受けたクラブ側が民族主義の傾向を高めている。これはセルビア側も同様であり、同時にまたサポーターたちもナショナリズムの高揚から、対立を深めている。

数カ月前に行われたセルビアリーグのカップ戦、ラド・ベオグラードとノビ・パザールの試合で象徴的な出来事があった。ラドはセルビア民族主義の色濃いチームで、ホームの名前を19世紀の初代セルビア国王の名前からとってペータルI世スタジアムと命名している。一方、ノビ・パザールは、南部地域のチームでここは人口の85％がムスリムで、サポーターのほとんどがイスラム教徒である。

最初に仕掛けたのは、ラドのサポーターだった。パズルと称して「スレブレニツァ」というワードが浮かび上がる横断幕をゴール裏にかかげて挑発したのである。約8000人のムスリムの男性が10

日間に渡って虐殺された第二次世界大戦後のヨーロッパで起きた最悪の集団殺害事件と言われる「スレブレニツァ」である。

イスラエルのチームに向けて、アウシュビッツと書いた横断幕を掲げるようなもので、民族的なトラウマを狙って攻撃する度し難いヘイトである。しかし、ノビ・パザールのサポーターも黙ってはいなかった。次節のホームの試合では、同じく横断幕で「パズルは解けたよ。心臓、腎臓、肺」と記し、トドメのワードとして「黄色い家ブラボー！」と返したのだ。「スレブレニツァ」対「黄色い家」。剝き出しの悪意がそこにはある。世界的な傾向であるが、セルビアにもアルバニアにも歴史修正主義者はいる。自民族の加害の歴史を矮小化し、消してゆこうとする御用学者を含めた者たちだ。しかし、過激なナショナリズムにはまったサポーターたちは、逆に加害を十分に認知した上で、相手にぶつけるのだ。殺伐とした空気がサッカースタジアムを支配している。

ベサの看板を見ながら、ボーッとしていると、アフメーティーは「今日はこれからどうするんだ」と訊いてきた。「今日中にプリシュティナに行こうと思う」。明日は、首都で取材を重ねる予定だ。バスでの移動を考えていた。「それなら、私の車で一緒に行こう。私も今からプリシュティナに行くんだ」（ラッキー！）

「何か用事があるの？」「テレビに出演する」。硬かった表情が少しはにかんだ。「スウェーデンで行われた国際ユース大会があっただろう？　そう、ゴシアカップだ。あれのU-12のカテゴリーでわがコソボのチーム、ＦＣジャコバが優勝したのだ。彼らが帰国してスタジオでインタビューを受けるので、コミッショナーの俺もそれに同席するというわけだ」。ジャコバはコソボ西部の町。紛争時には、激戦地となり、セルビア治安部隊やアルカンの民兵組織（＝虎部隊）に半数以上のアルバニア人が国外に追われた地域である。そんな町の少年たちが、帰還して国際大会で栄光を摑んだのだ。「おめでとう。若い世代が結果を出すとは、コソボのＦＩＦＡ加盟に向けて、弾みのつく良いニュースじゃないか」「知らないのか？　コソボだけじゃない。日本のチームも活躍したんだぞ」。調べてみたら、コンサドーレ札幌のジュニアユースが準優勝している。奇妙な縁を感じた。

ヒトラーの待ち受けと着メロ

プリシュティナへ向かう車中、ふとアフメーティーのルーツについて知りたくなった。この男は、どんな出自なのだろうか。それを伝えると、小さな秘密を告げるように声を絞った。

「私の祖父は、スカンデルベグ部隊にいた」。驚きは小さくなかった。スカンデルベグは中世アルバニアにおける君主で、強力なオスマントルコ軍にゲリラ戦で抵抗した民族的英雄（アルバニア本国では紙幣にもなっている）であるが、ここでアフメーティーが言っている部隊は、第二次大戦中にナチスドイツがその支配下で編成したアルバニア人部隊、第21ＳＳ武装山岳師団のことである。所属はナチであり、チトーのパルチザンと戦い、セルビア人を追い出し、アルバニアやコソボで暮らすユダヤ人を絶滅収容所に送るホロコーストに協力していた。それでいて、ゲルマン民族の優生政策の下、アルバニア兵たちは、ヒトラー親衛隊のＳＳ文字を軍服に使用することは禁じられ、常に低い階級に置かれていた。

ユーゴスラビアという国がまだ健在だった頃、スカンデルベグ部隊の歴史的な評価は、ナチスドイツの手先というもので、タブー視されていた。たとえ、親族が部隊に関わっていたとしてもその事実は長きに渡って外に向けて語られることはなかった。

「そういう評価が間違っていたのだ。私は祖父のことを誇りに思う」。アフメーティーは口を尖らす。そのとき、まさにそのタイミングでアフメーティーの携帯電話が震えた。「ちょっと持っててくれ」。ハンドルを握りながら、彼が胸ポケットからとり出した端末を助手席から見ると、視線が釘付けになった。ＳＳの旗をバックにして佇むアドルフ・ヒトラーが待ち受け画面になっていたのだ。同時に、着メロとして鼓膜に飛び込んできたのが、総統の演説であった。

独裁時代の趨勢に抗えなかったかもしれない祖父の生き様を庇うのと、スマホにまで入れてナチズムに敬意を払うのは、違う。サッカースタジアムでSSやカギ十字の旗を掲げれば、ＦＩＦＡによって厳しいペナルティを下されることを、コミッショナーなら知らないはずがない。それでも悪びれない表情を見せた。「ユーゴ時代だったら、刑務所行きかもしれないが」。それから車中で、ナチにはこんな良いところがあったと語り出した。曰く、農村のための政策だった。曰く、健康とエコロジーに先進的な考えを持っていた等々。しかし、耳には入ってこない。ドイツ人をアーリア民族と呼称し、優れた民族のトップに据えると同時にユダヤ人をその属性だけで絶滅させようと、ガス室に送り続けた政治集団に1ミリでも共感する気はない。しかし、これが今のアフメーティーの偽らざる本音でもあろう。

好むと好まざるとにかかわらず、常に政治と向き合うことを余儀なくされるコソボのアルバニア人は思想に忠実で、洒落や酔狂で携帯をカスタマイズしない（大アルバニアから、スカンデルベグ部隊の再評価か）。

一方で私は、ジェヴァド・プレカジのことを思い出していた。プレカジは１９５7年にコソボのトレプチャに生まれたサッカー指導者である。現役時代はU－23のユーゴスラビアの代表として欧州選手権で優勝し、1985年にはトルコのガラタサライに引き抜かれ、ここでチームをチャンピオンズカップのベスト4に導いた。プレカジは、体重60kgの細身の身体でありながら、ロベルト・カルロスばりの強烈なフリーキックが持ち味で、大舞台でゴールを量産していた。これに感激したトルコのトゥルグット・オザール首相が、異例の二重国籍を認めてトルコ国籍を与えたのである。プレカジはコソボのアルバニア人であるが、ナショナリズムに流されず、ユーゴスラビア主義を貫いた。ユーゴは1991年に紛争の影響で国際試合を禁じる国連制裁を受けていたが、プレカジは兄事するオシムが監督を務めるパルチザン・ベオグラードのためにイスタンブールでの試合の開催に奔走し、これを実現させている。

引退後にプレカジはセルビアに戻り、コソボが独立した2008年には、OFKベオグラードでU-16の監督をしていた。私にこんな言葉を吐いた。「自分の故郷はあくまでもユーゴスラビアだ。民族ごとに国境線を引いてしまうのではなく、一つの国の中で互いの民族のことを理解し合えないものか。今、私はパスポートを持ってボスニアやクロアチアへ行く。しかし、今でもそこが外国とは思えないのだ」。このときに鳴り響いた、プレカジの携帯の待ち受けはチトー大統領、着メロはもはや誰も歌わなくなった旧ユーゴ国歌の「ヘイ・スロベニ」だった。アフメーティーとプレカジ、同じアルバニア人ながらあまりに対照的な二人だった。

アフメーティーも当然ながら、プレカジのことは知らないはずがない。「もちろん。彼がガラタサライにいたころは、誰もが憧れたヒーローだった。トルコはムスリムの国だし、私たちにも近い。誇らしかった。でも今は私たちとは違う。彼はベオグラードにいること自体、同胞を裏切っている」

「そうだろうか。それからアルバニアを愛することと、ナチを称賛することがなぜ繫がるのですか?」。

アフメーティーはそれには答えず、アクセルを強く踏み込んだ。ガクンと、首が揺れた。気まずいまま、プリシュティナに着き、そこで別れた。1時間後、ビールでも飲もうと入ったカフェのテレビ画面には、U-21のジャコバの選手とアフメーティーが映っていた。ふと、今、彼の携帯に電話をかけたら、どうなるだろうかと考えた。スタジオにヒトラーの演説が流れ、それがマイクに拾われて放送されたら……。「ろくなことを考えていないな」。昨日と今日は、鉛を飲み込むような現場が続いていた。シュコダルを出て、ブーレルで監獄３２０の様子を伺い、「黄色い家」まで往復2時間かけて歩き、カトゥーチに怒鳴られ、ホッジャの再評価に出くわし、FCベサに辿り着き、ナチの亡霊に出くわした。酔いが急に回ってきた。ジャコバの少年たちのゴシアカップでの活躍は本当に嬉しい。しかし、彼らのサッカーがまた歪んだものに利用されないように、祈念せずにはいられない。明日はコソボサッカー協会に行かなければならない。早々に店を切り上げた。

テレビ出演しているアフメーティー。ゴシアカップ優勝で。

コソボサッカー協会会長　ヴォークリ

かつてユーゴリーグをボイコットし、非公式のコソボリーグでプレーしていたアルバニア人選手たちも、すでに表舞台に戻ってきた。大手を振って公的スタジアムを使用でき、独自のサッカー協会を再度設立した。

一方でＦＩＦＡの正式加盟はまだされていない。加盟するには国連に議席を持つという原則を果たしていないからである。故に、ボスニア代表が健闘を続けているブラジルW杯予選にはコソボ代表は出場していない。コソボは昨年からは女子やフットサルの代表試合も行われているが、それも制約があるようである。

現在のコソボサッカー協会の会長はファデル・ヴォークリ。現役時代、1987年に旧ユーゴスラビアリーグでMVPを受賞し、コソボ史上では最高の選手と言われている。オシムが代表監督時代、ミロシェビッチが自治権を剝奪する前にユーゴ代表に呼ばれ、グルバビッツァのスタジアムで北アイルランド相手に2ゴールを決めている。87年10月14日のことである。

コソボのスポーツの競技団体は、すべてが「スポーツビルディング」と呼ばれる建物の中に入っている。スポーツビルは言うなれば、岸記念体育会館のようなものである。中でもサッカーは大きなスペースを確保している。会長の執務室で待つことしばし、ヴォークリはポロシャツに短パンというラフなスタイルで現れた。

「お待たせしたね。実は休暇中なので妻とアルバニアの海岸にいたんだが、君が取材に来たというのでクルマで飛んできたんだ。それでこんな格好なんだ。写真は胸から上だけにしてくれないか」

気さくな男である。

——まず、聞きたいのは、貴方がコソボ協会の会長になられた経緯です。ミロシェビッチの強権支配に抗議する形で、長くコソボのサッカーは、世界の表舞台から姿を消していた。1999年にコソボは国連統治になり、選手も指導者も復帰してきました。2008年にコソボが独立を宣言したことと、諸外国もそれを承認したことでいよいよ国際大会への登場も視野に入ってきました。それを束ねるトップの地位にどのように就いたのかを教えて頂けますか。

「会長就任の経緯については他の国の協会の選出と変わらない。私も協会内の選挙によって選ばれたのだよ」

――協会の会長には外交的な役割も期待される。特にできたばかりの歴史の浅いところでは、世界のサッカー界に向けての「顔」としての存在も重要です。やはりそこには現役時代の貴方の実績も大きく影響したのではないでしょうか。

「それは敢えて否定しない。かつてコソボのサッカー選手で唯一、私だけが旧ユーゴスラビアの代表でプレーをしたことがあるからです。非常に名誉なこと。現役時代はそれと同時に大きなプレッシャーもあった。私はユーゴ代表の唯一のアルバニア人選手として世界にコソボの存在を示したかったのだから。最初に代表に招集してくれたのはミロシュ・ミルティノビッチ監督。１９８４年のことでした」

――調べたら9月12日のスコットランド戦ですね。

「そう、そこでゴールを決めたが、試合は1対6で負けてしまいました」

――当時のユーゴ監督のミロシュは有名なミルティノビッチ兄弟、メキシコ、コスタリカ、アメリカ、ナイジェリア、中国、５つの大陸の代表チームをW杯に導いたボラ・ミルティノビッチのお兄さんですね。

「そうです。私はＦＫプリシュティナで6年プレーして、そこからパルチザン・ベオグラードへ行った。海外移籍はフランスのニーム、トルコのフェネルバフチェへとキャリアを繋げました。87年にオシムに代表に呼ばれた試合はヨーロッパ選手権の試合でとても重要でした。サラエボで3対０で勝利しました」

――実は、ここ（コソボ）に来る前にモンテネグロでサビチェビッチに会ってきました。年齢は彼が少し下ですが、同時代にユーゴリーグで戦った者として交流は続いているのでしょうか。

「もちろん、サビチェビッチやクロアチアのシューケルとは、よくコンタクトを取っています。分裂した旧ユーゴの各共和国の協会間で良い関係が築けていることは非常に嬉しく感謝しています」

——そこで、注目されるコソボ協会のＦＩＦＡ加盟ですが、ＦＩＦＡのブラッター（会長）やＵＥＦＡのプラティニ（会長＝当時）とはどのようなネゴシエーション、あるいはコミュニケーションを取っていますか。

「重要な質問ですね。プラティニというよりはブラッターとの交渉の方が多いですね。個人的な意見ですが、プラティニは頭が固い。ＵＥＦＡの国連規定を振りかざしている印象です。国連加盟をしていないとだめだと言う。でも我々コソボはすでに世界１０３カ国の承認を得ている。セルビアとの間のブリュッセル合意、を知っていますね？　コソボとセルビアは互いの統合プロセスを妨害しないというもの。なぜ彼はこの精神を尊重しないのでしょうか」

——ブラッターにはどのような働きかけをしていますか。

「私たちコソボ協会の方から、ブラッターに書簡を送っています。昨年、ブラッターはセルビアを訪れ、『コソボにもサッカーをさせなくてはいけない』とタディッチ首相に伝えました。サッカーの大衆性をセルビア側は恐れていると思うのです。スイス、ドイツ、スウェーデンに我が同胞はたくさんいる。セルビアはそれ

FIFA加盟について語るコソボサッカー協会会長（当時）のファデル・ヴォークリ。

らのスタジアムがコソボの旗で満たされるのを恐れていると思うのです」

――貴方自身はかつてユーゴスラビア代表でもプレーしていましたが、コソボが自治権を剥奪されてからはボイコットに加わります。それまで一緒にプレーをしていた仲間とサッカーができなくなるということで、断腸の思いでもあったと思うのですが、当時の状況を教えて下さい。

「自治州の時代は、ユーゴ連邦協会の下に共和国の協会があって、かつてはコソボもセルビアやクロアチアと同等の権利を持っていました。実際、ユーゴサッカー協会の副会長がガーニ・アイエティというアルバニア人だったこともあるわけです。しかし、自治権が剥奪されると、要職にはセルビア人が就くようになってしまいました。ユーゴリーグでのプレーをボイコットして自分たちで独立した新しい協会を作ったときは、私はトルコにいました。新協会設立の際は、トルコから電話で参加しました。残っていた選手も、もうユーゴではプレーしないと宣言していました」

――１９９９年ＮＡＴＯの空爆のときはどこにいましたか。

「フランスのモンションという人口7万人の小さな町にいました。私はセルビアとコソボが和平のために行っていたランブイエ交渉のときにアルバニア代表団と一緒にいたのです」

「サッカーに民族は関係ない」

――サッカーの話に戻ると、コソボのA代表はまだ国際大会に出場できませんが、クラブチームに関しては7月にスウェーデンで行われた国際ユース大会のゴシアカップ（日本からはコンサドーレ札幌がU－16で出場）のU－12のカテゴリーで参戦したFKジャコバが優勝しました。

「とにかく国際試合の経験を若い世代に積ませたい、それに尽きる。これまではずっと国外での試合と言えばアルバニア代表としかできなかったのです。先日ＦＩＦＡは国際大会の21歳以下代表を認めると言ってきましたが、それを我々は受け入れませんでした。

――それはまた何故ですか？

「条件があったのです。21歳以下を認めよう、ただしセルビア側からの許可があればということだったのです。許可？　我々はもう独立国なのになぜセルビアのＯＫを貰わなくてはいけないのか、ということで拒否をしました。今のところ、コソボ代表では国外ではユニフォームのエンブレムも国歌の吹奏もだめなのです」

――今は暫定的に二重国籍でアルバニア代表になったり、ドイツ代表になっている選手たちもコソボ代表が認められると帰って来る可能性がありますね。一度他国の代表でＡマッチに出場しても、その帰還はＦＩＦＡも認めている。

「その通りです。ラツィオのロリック・カナ（アルバニア代表）、バイエルン・ミュンヘンのジェルダン・シャキリ（スイス代表）、女子ではポツダムでプレーするファトミール・バイラーマイ（ドイツ代表）もいます。実はビッグクラブで活躍しているコソボ出身のアルバニア人は多いのです」

――バイラーマイは日本の大儀見優季とポツダムでチームメイトです。会長としてのあなたにお聞きしたいのですが、ＦＩＦＡへの加盟は最重要案件としてそれ以外の当面の課題は何でしょうか。

「まず、インフラの整備ですね。我々は周辺諸国の協会、モンテネグロやマケドニアよりも貧しい。実はこれも加盟問題に関わってくるわけです。つまりはＦＩＦＡに認められていないので、協会や代表チームにスポンサーがつかないのです。とはいえ、私は楽観している。ようやく自分の家ができた。前に進んでいくしかない」

——自分の家、独立したことですね。チーム編成にはこだわりがありますか。

ヴォークリは笑った。「聞きたいことは、アルバニアの選手で代表を固める方針なのかということでしょう？」。図星だった。アフメーティーとの対話の記憶が生々しく残っていた。しかし、会長の意志は明確だった。

「サッカーに民族は関係ない。それを私はセルビア人のミルティノビッチやボスニア人のオシムから学んだのですよ。コソボ代表の門戸は、すべての民族に向けて開かれている。セルビア人でもボシュニャクでもロマでもコソボパスポートを持ち、実力さえあれば大歓迎です」

そのコソボパスポートをボイコットし続けるセルビア人選手が果たして、いつ代表を選択するかが、問題でもあるのだが。とはいえ、古き良きユーゴスラビアのマインドをヴォークリが保持し続けてくれているのは、嬉しかった。「６つの星の国旗を体現するコソボ代表が生まれることを願います」と告げた。「せめてサッカーはそれを守りたい」。ユーゴスラビア最後の国家代表の舵取りをする男は頼もしくまた笑った。

ロス五輪ボクシング銅メダリスト　サリーフ

ヴォークリの部屋を出ると、スポーツビルディングに入っている他のスポーツ団体のオフィスのドアを軒並みノックして歩いた。サッカーはＦＩＦＡ加盟がまだなされていないが、他の競技団体はどうであろうか。リサーチすると、柔道が興味深かった。コソボには、女子柔道でユース世代から国際試合に出場し続けているマイリンダ・ケルメンディという選手がいる。コソボの柔道連盟については、２０１２年にＩＦＪ（国際柔道連盟）が加盟を認めていたが、ＩＯＣ（国際オリンピック委員会）は、この段階でまだ承認していなかったために（14年10月ＫＯＣを承認）、ケルメンディは２０１２年のロンドン五輪を、アルバニア代表として出場していた。ＩＯＣのロゲ会長による特例措置である。ただ、ここでアルバニア代表を選択しても、コソボが加盟承認後にはこの母国から出場することは、許されるというものであった。ケルメンディについては、練習試合でも何度か組み合っている日本の重量級代表の佐藤愛子から、その強さを聞いていた。

ボクシング協会では、ひとりの選手への面会を求めた。アズィス・サリーフ。ユーゴスラビア時代に活躍したボクサーで、１９８４年のロス五輪の銅メダリストである。先述したが、ストイコビッチとサリーフは、種目は違えども、同じくロス五輪ユーゴ代表という縁から、選手村で親交を深めて親友となっており、すでにピクシーは、兵役でコソボに赴任することが決まっていたことから、この地で軍隊生活をする上でのアドバイスをサリーフに求めていたという。

当時のユーゴは「兄弟愛と統一」をスローガンにしており、成年男子を徴兵すると、敢えて民族籍と異なる地域へ送るという政策をとっていた。セルビア人のストイコビッチは、コソボに送られたというわけである。ちなみにスロベニア人のカタネッチはボスニアのサラエボに送られており、そこで初めてオシムの練習を見て衝撃を受けたと語っている。妖精ピクシーは、「サリーフは、プリシュティナに行ったら、あの店は危ない、この地域は大丈夫だと、いろいろ教えてくれたもんだ。実際に任地に出向いたら、その通りだった。選手村では世話になったよ」と古き良き時代を回顧していた。セルビア人からすれば、コソボは聖地ではあるが、やはり多数派であるアルバニア人の自治州（当時）に行くということは、完全アウェイでの生活を意味した。それでもサリーフの仲介のおかげで、大きなトラブルもなく、快適に過ごせたことを吐露していた。アルバニア人のアスリートがユーゴ代表でのプレーをボイコットする前の話をこのヘビー級ボクサーから聞いてみたい。

「サリーフに会いたいって？」しかし、ボクシング協会の幹部は、露骨に顔をしかめた。

「会いたいです。彼はこのプリシュティナにいないですんか？」「いや、いるには、いる。それも近くにいるんだが……」。なぜか、しぶしぶという面持ちで携帯の番号を調べて、取り次いでくれた。「1時間後にグランドホテルのカフェに行くと言っている」「では、そこへ行きます」


しかし、約束の時間にサリーフは現れなかった。30分が過ぎた頃、ようやく巨体がのそりとドアを押して現れた。「二度寝していたんだ」。屈託がない。そして息が酒臭かった。協会幹部が紹介を渋ったのが何となく分かった。そこから、ひとしきり、ロス五輪の話で盛り上がった。「俺は本当は金メダルが取れていたんだぞ。明らかに準決勝の判定はおかしかった。パンチが何度も入っていたのに審判が取ってくれなかった」。


記憶を辿りながら、シャドーでジャブとフックを繰り返す。

「ただ俺らユーゴ選手団にアメリカは入場行進のときから、良くしてくれたな」


ロス五輪は、前回のモスクワ大会を西側諸国がソ連のアフガン侵攻への抗議を理由にボイコットしたことに対する報復で、東側のソ連と東欧諸国が不参加を表明していた（理由は米軍のグレナダ侵攻への抗議）。そんな中で、ルーマニアとユーゴは毅然として出場し、アメリカの官と民から、大歓迎を受けていた。

「東西どちらの陣営にも属さなかったユーゴの英断を称賛してくれましたね。しかし、そのアメリカがユーゴを15年後に空爆した」

「こんな時代が来るとはな。でもロスの頃は、ユーゴに何の問題も起こっていなかった。ピクシーは偉ぶらないし、本当にいいヤツだった。だから、話し込んだんだ。俺にとってはアルバニア人もセルビア人も関係ない。重要なのは、いいヤツか嫌な野郎かだ」

サリーフの現状を訊いてみた。「何もしてないよ」「協会の仕事も?」「今の連中とはそりが合わないのもあるけどな」

その服装、話し方、アルコールの抜けていない雰囲気から、すさんだ生活をしているのが、垣間見られた。

ユーゴスラビア時代のロス五輪ボクシングの銅メダリスト、アズィス・サリーフ。

ユーゴ時代の英雄は、今は、決して優遇されていないという。しかし、ヴォークリのように会長職にいる者もいるではないか。「まあ、俺みたいなのは、堅い仕事は向いていないということだ」

サリーフの現役時代から、コソボの歴史を辿ると、ユーゴ連邦内の自治州、自治権剝奪、内戦、空爆、そして独立。あまりに目まぐるしく、アスリートや指導者の地位もそれこそ、数年ごとに変化があった。サリーフはどう見ても政治の趨勢を見るタイプではない。オリンピアンであり、銅メダリスト。何らかの要職についていてもおかしくはないが、その時流に乗れなかった不器用な者は、やはり野に下るしかないのか。オリンピックで通算のメダルを獲得したソ連の体操選手、アンドリアノフが、祖国崩壊後に職探しに苦労したという話を思い出した。

「仕事はないし、年金も（社会主義時代の）昔と違っておりてこない」。いささかヤケになっている印象を受けた。それでもボクサーは「ピクシーに会ったら、よろしく言ってくれ。国がどうなろうが、俺らはずっと友だちだ」。カメラを向けると、ファイティングポーズをとった。

元コソボ代表監督ビリィビリィ・ソコリ

コソボのスポーツの功労者ながら、不遇をかこっている人物は、もう一人いた。空爆以前、コソボのサッカー選手たちが、ユーゴリーグをボイコットし続けていた時代のコソボ代表監督ビリィビリィ・ソコリである。彼はFIFA加盟どころか、コソボ州の展望さえ見えていない頃にコソボ代表を支えてきた。当時のコソボ代表は、どこにも加盟登録ができないただの任意チーム。公式試合が組めない中、アルバニア本国のクラブチームや在外のアルバニア人コミュニティの選手たちとのマッチメークを続けては、選手たちのモチベーションを保ってきた。トビャルラーニのように現役時代がこの空白の期間に重なってしまった世代をまがりなりにもけん引して、コソボサッカーの命脈を繋いだのは、このソコリである。しかし、彼もまた協会からは、距離を置かれているという。

「独立後は、あなたが代表監督を引き継ぐものかと思っていましたが」「仕方がないのだよ。自治権を剝奪されてボイコットをしたものの、何の希望も見いだせないあの頃のコソボ代表の監督など、なり手がいなかった。それで私が手をあげたのだが、いざ、国が独立してサッカー協会が整備されてカネも入ってくると、もっと実績のある監督が求められる。選手だってそうだ。コソボ内でプレーしていた連中よりも在外の2世、3世の方がスキルが上だとなれば、そっちの選手にリクルートも入る。苦労して守っていた我々はお払い箱だよ。ただそれでも満足だ。我々のサッカーを途切れさせなかったという自負はある」

作家・金時瞳（キムシジョン）から教えられた旧帝ロシアの革命家クロポトキンの言葉を思い出した。クロポトキンは公爵貴族でありながら、その地位を捨てて40年近く、ヨーロッパを放浪して活動を続け、念願のロシア革命が起こった後に祖国に帰るが、もはやそこに彼の居場所はなく、追い出された。願った国になったのにそこから外されたのである。しかし、彼の日記には「いいじゃないか。そこには私の至純な歳月があったのだから」と記されていたという。ソコリにとっては、展望の見えなかった当時、車の中で着替え、選手たちと空き地でトレーニングを続けたあの時間は、かけがえのない至純な歳月だったということだろうか。

ソコリが外された理由はもうひとつあるように思えてならない。穏健派であった彼は1998年、つまりはNATO空爆前の私のインタビューで「コソボ独立までは望んでいない。それで経済が立ち行くとも思えないのだ。私の希望は自治権の奪回だ。それでセルビアと共存していければ、選手たちもユーゴリーグに戻っていくだろう」と答えていた。

KLAに対する批判もしばしば口にしていた。「俺だってもしもこれ以上食いっぱぐれたら、入隊するかもしれんがね。マレーシャボの山の中にいた武闘派の連中にプリシュティナに出て来て政治や外交をいきなりやれというのも酷だろう。そもそもテロリズムは肯定したくないのだ」

KLAは決してプリシュティナの多数派に支持されていたわけではない。90年代にセルビア治安部隊に銃撃されて殺されたKLAリーダー、アデム・ヤシャーリの殺害現場に日本人ジャーナリストで唯一入った共同通信の米元文秋記者によれば当時のプリシュティナのアルバニア人たちは、今では英雄となっているヤシャーリの存在さえ認めず「KLAなんてゲリラはいない。過激なアルバニア人のテロを印象操作するためにセルビアが行っている自作自演」とまで言っていたという。私も知る限り、都市部のホワイトカラーでKLAに共感する者はほとんどいなかったが、現在は「勝てば官軍」で、僕も私も「ずっと支援していた」「親戚がKLAだった」と言い募る。

けれどソコリは、非暴力を推進したコソボのガンジーこと、イブラヒム・ルゴバの路線の支持を公言して憚らなかった。

このとき、私たちは、まさにそのルゴバの記念館の真横にあるレストラン、ティファニーで会食をしていた。絶品の煮込み料理を楽しんでいると、元代表監督は、「おい、あそこを見てみろ」と手にしたナイフで前方のテーブルを示した。目線を飛ばすと、盛り上がった胸筋に太い首回りの男……、そこには、ハラディナイがいた。ＫＬＡの軍事指導者で、ＵＮＭＩＫ統治下のコソボで首相を担っていたが、内戦中にセルビア人やロマ、不服従のアルバニア人に対して虐待、殺害をしたとしてＩＣＴＹに訴追され、たった１００日で辞任した人物である。裁判は無罪となったが、デル・ポンテは、ハラディナイに不利な証言をする者が次々に殺害されるなどの圧力があったことを指摘し、「ＮＡＴＯも国際社会も認めようとしないが、ハラディナイは紛れもなく戦争犯罪人である」と発言していた。

それにしても大物にこんな場所で遭遇するとは。ソコリは言った。「ヤツには『黄色い家』の容疑がかかっているんだろう？　でもこの町では、臓器密売のことは、言わない方がいいぞ。ハラディナイには急進的な支持者も多いからな」

私は席を立って、テーブルに進んだ。「日本の記者です」。目が合うと同時に名刺を切った。「コンニチワ」と日本語が返って来た。「今、あなたから、話を聞きたいのだが」「もう帰るところだから、それはできない」「では、あなたの政党、コソボ未来連合に申し込めば良

ビリィビリィ・ソコリ。ユーゴリーグをボイコットしていた時代のコソボ代表を支えてきた。

いですか？」「それもできない。今、取材は受けていないのだ」。ソコリが、もう止めておけ、と合図を送ってきた。粘ったが、取り付く島もなく、ハラディナイは、付き人たちと大股で店を出て行く。店員や客もざわめきだした。

ただもうそれを見送るしかなかった。ハラディナイは「黄色い家」問題において、その立場が管理人のカトゥーチと違って、臓器摘出を指示したとされる側である。聞きたいことは山ほどあった。若くしてスイスに渡り、そこで民族運動に関わった経緯、そして武装蜂起を決意した動機は何であったのか。米軍からＫＬＡへのアプローチはどのようなものであったのか。たたき上げの軍人が、政治家になろうと思ったのはなぜなのか。そしてもちろん、「黄色い家」への関与について。私は、首相になりながら、ＩＣＴＹに訴追をされるとその職を辞すという行為から、ハラディナイの忸怩を感じていた。そもそもが政治体のトップに据えられて戸惑っている印象さえある。しかし、直当ては阻まれて、こうして、黄色い家を巡る取材は幕を閉じた。

レストラン・ティファニーで遭遇したラムシュ・ハラディナイ。取材は拒否だった。

その後、２０１７年にハラディナイは再び首相に返り咲くが、19年7月19日、ついにＩＣＴＹの特別法廷で、セルビア人捕虜の臓器密売容疑で事情聴取の要請を受けた。ハーグへの出頭要請を拒否すると同時にまたも首相を辞任している。

第3章 密着コソボ代表　双頭の鷲か、6つの星か

1—セルビア対アルバニア戦　ドローン事件

2014年10月14日　ヨーロッパ選手権予選

コソボ独立によって吹き出るように勃興してきたアルバニア・ナショナリズム。その野心の最終形態である大アルバニア主義の脅威が、最初に目に見える形で突き付けられたのは、例によってサッカースタジアムにおいてだった。２０１４年10月14日、セルビアの首都ベオグラードのパルチザン・スタジアムでは、ヨーロッパ選手権予選グループＩ組、セルビア対アルバニアの試合が行われていた。

それは前半41分のことだった。サッカーの歴史において前代未聞のことが起こった。最初は何か分からなかった。試合中にも関わらず、スタンド上空を見上げる者が出てきた。何やらふわふわとピッチ上に下りてくる。ドローンが飛来したのである。ゆらりゆらりと芝生に向かって下りてきた飛行物体には、アルバニアの象徴である双頭の鷲が中央に描かれた地図がぶら下げられていた。目を凝らすと、それがバルカン半島の地図であることが分かった。さらに接近すると、国境の位置がおかしなことに気がつく。コソボとアルバニアを合併させ、ギリシャやマケドニア、モンテネグロの一部にもエリアを侵食させている。この日、スタジアムに飛来したのは、大アルバニアの領土図であった。両脇には丁寧に、アルバニア建国の立役者であるイスマイール・ケマリとイサ・ボレチーニの肖像画が描

2014年10月、ヨーロッパ選手権予選のセルビア対アルバニア戦の試合中にドローンが飛来。大アルバニアの地図が描かれていた(上)。旗を引き摺り下ろすセルビアのミトロビッチ(下)。

かれている。セルビア人選手とサポーターにすればこれ以上ない屈辱であった。セルビア政府は2023年の現在もコソボの独立を承認していない。それは官だけではなく、魂の宿る民族の聖地を手放すことは到底できないとほとんどのセルビア人は思っている。その土地が、独立どころか、アルバニアに吸収された形で記された地図が、天から降りてきた。しかもホームで公式試合を戦っている最中に、である。あえて飛躍した譬えをするならば、日韓戦を行っている国立競技場の上空から、竹島と山陰地方を韓国領土にした地図を飛ばされたような挑発行為である。

スタジアムは騒然となった。地図がピッチ上に降りてきたところを、セルビアのDFステファン・ミトロビッチ（フライブルグ＝当時）が憤怒の表情で引き摺り下ろした。アルバニアのリラ（ヤニナ）がそこに突っかかっていく。二人の揉み合いをきっかけに発煙筒が投げ込まれ、興奮を抑えられないサポーターが堰を切ったようになだれ込み、大乱闘が始まった。試合は続行が不可能となり、没収試合となった。UEFA（欧州サッカー連盟）の規律委員会は両チームに罰金10万ユーロの支払いを命じると同時に3対0でセルビアの勝利とした。その上でセルビアの次回のホーム開催は、無観客というペナルティを課した。

このドローンを飛ばしたのは、会場に来賓として招かれていたアルバニアの首相エディ・ラマの弟、オルシー・ラマであった。オルシーは逮捕されたが、ただのフーリガンではなく、要人として招かれた人物による行状であったことが、事態を過激に扇動する行為となった。オーストリアやモンテネグロで試合中継を観ていた在外のセルビア人とアルバニア人は、街中でバトルを繰り返した。アルバニアの首都ティラナの市民は公式試合が政治によってぶち壊された事実を批判するどころか、快哉を叫んで優勝パレードのように帰国した選手団を迎えた。プラティニUEFA会長は、ドローンによって選手がケガをしたらどうするのか、と遺憾を表明したが、熱狂の渦は広がり、選手ファーストを逸脱したこの暴力行為は、アルバニアのマジョリティ社会で正当化され、流通していった。

両国のサッカー協会はそれぞれにUEFAの判決を不満としてスイスのCAS（スポーツ仲裁裁判所）に提訴をする。アルバニア側はセルビア人サポーターによる暴力行為を非難。一方、主催のセルビア側にすれば、この事件に関して言えば試合をぶち壊された被害者であるにも関わらず、罰金と無観客試合という罰は受け入れがたいものであった。ところが、翌年の15年7月10日に下された裁定はペナルティの撤回どころか、勝敗自体が逆転する。「アルバニアが3対0で勝利」となり、セルビアの勝ち点3が剝奪されてそのまま譲渡されたのである。国際社会が未だにセルビアに冷淡だと思うのは、こんなときである。FIFAはスタジアム内における政治的、軍事的プロパガンダを禁止している。その意味では、拡張領土を主張する大アルバニア国旗ほど、政治的なものはないはずである。警備が漏れてドローンを持ち込ませてしまったという管理責任はあるものの、サポーターを挑発した行動をしたのは、いったい誰なのか？

結果、この勝ち点剝奪が効いて、セルビアは欧州選手権ユーロ2016フランス大会への切符を逃し、アルバニアが初出場を決めた。サッカーに絶対はないが、順当に試合をしていれば、FIFAランキングでもセルビアが上位であり、アウェイでも2対0でアルバニアに勝利していただけに、遺恨はますます広がった。

コソボ代表への道が絶たれたショーシッチ

このドローン事件は、当然のごとくコソボに飛び火し、アルバニア人とセルビア人の分断の亀裂がさらに深まった。これをきっかけに将来の夢が断たれた選手がいた。

選手の名前はアレクサンダル・ショーシッチ。21歳のセルビア人選手であった。

コソボ東部の町、パスヤネに暮らすショーシッチは、ジュニアユース時代に名門レッドスター・ベオグラードから、練習参加の要請を受けたこともある将来を嘱望されたＭＦだった。レッドスターには入団が叶わなかったが、プロになってＷ杯に出場するという夢は持ち続けていた。

ここでコソボ内におけるセルビア人サッカーシーンをあらためて説明しておきたい。ＮＡＴＯの空爆後に政治状況が一変し、行政機関に復帰したアルバニア系住民による新しいコソボリーグが成立すると、セルビア人選手たちは、そこでのプレーを嫌い、コソボにおけるセルビア最大のエンクレイブである北ミトロビッツァに「コソボ・メトヒヤ州サッカー協会」を設立した（メトヒヤとは「修道士の土地」という意味でセルビア人はコソボを示す公式地名には必ず、聖地を表すこのメトヒヤをつける）。これは、１９８９年にコソボから自治権が奪われたときにアルバニア人選手たちが、ユーゴリーグをボイコットしたことの、いわば反転である。アルバニア系のコソボリーグはＦＩＦＡ加盟を目前に控えているが、セルビア系のコソボ・メトヒヤリーグ（以下、メトヒヤリーグ）は、将来的にも世界とつながる可能性はない。セルビアはコソボの独立を認めていないために建前上はセルビアサッカー協会傘下になってはいるが、実質はもはや外国であり、移動もままならない。エンクレイブ地区ごとにメトヒヤ協会の支部の名前はあるのだが、実際に機能しているのは、コソボ北部の4自治体のクラブから構成される「コソフスカ・ミトロビッツァ郡リーグ」のみである。ここにしてもＦＫイバル、ＦＫズベチャなど5チームしかいない。

それでもセルビア系のすべての住民は、サッカーをするなら、自らのアイデンティティと一体化しているこのメトヒヤリーグを選択する。

ショーシッチはしかし、アルバニア系のクラブでのプレーを望み、パスヤネ近郊のＦＫドリータ（〝光〟という意味）に飛び込んだ。父親のノービッツァはこう証言している。「北ミトロビッツァまでは遠く、メトヒヤリーグに行っても将来の活躍の場がない。そこでパスヤネに近いグニラネにあるＦＫドリータのドアを叩いてみた。練習に参加させると、クラブは息子の才能を非常に買ってくれた。ただ、当時は36人の登録選手がすべてアルバニア人でセルビア人は息子一人だけだった。親として気が気じゃなかった。でもチームメイトたちも息子を歓迎してくれて優しく接してくれた。息子もアルバニア語を覚えるまでになった」

ドローン事件が起きる二カ月前、２０１４年8月4日のアルバニア系新聞「ゼーリ」紙は、ＦＫドリータに飛び込んできたショーシッチのことを好意的にこう報じていた。「サッカーを続けるうちに言葉の壁を乗り越えられた。普遍的なサッカーという言語を語ることが重要なのだ」

アレクサンダル・ショーシッチ。セルビア人初のコソボ代表選手になる夢は断たれた。

このままいけば、セルビア人で初のコソボ代表選手が誕生するとも思われた。実際、ショーシッチ本人も評価されればコソボ代表には、前向きに挑戦したいという考えを持っていた。

ところが、セルビア側のメディアがこれを許さなかった。セルビアの全国版タブロイド紙「クリール」が、即座にこのゼーリ紙の記事に反応したのだ。翌8月5日に「セルビア人がコソボのためにプレーすることを決意！」と批判的にショーシッチの言動を取り上げ、セルビア系メディアによるバッシングを扇動したのである。「不法に独立宣言がなされたコソボ国家のためにプレーするつもり、との彼の発言は市民に分断を招いている」と書き立てた上で、ヴォークリの写真も掲載して「お気に入りのセルビア人選手を（ヴォークリは）見つけた」というキャプションで煽った。

若いショーシッチは、自分の発言がもたらした影響に戸惑うしかなかった。記事が出てから、彼のフェイスブックには中傷が溢れた。それでもチームメイトとは、良好な関係を続けていた。このまま、所属のドリータでスキルを磨いていきながら、キャリアアップをはかっていこうと考えていた。

そんな希望が、ベオグラードでのドローン事件によってすべて破壊された。スタジアムで起きた乱闘事件を境に同僚選手たちのショーシッチに対する態度が１８０度変わってしまったのである。ピッチの内も外も交流が完全に途絶えてしまった。一時は、覚えたてのアルバニア語で仲間と密なコミュニケーションを取っていた21歳のストライカーは、こんなふうに振り返る。

「誰もがセルビア対アルバニアのあの試合を見ていました。事件の後、僕がセルビア人だと知ったサポーターから、トレーニング中に攻撃されるようになって、身の危険を感じました。仲の良かったチームメイトも『大アルバニア！』と言って僕を挑発したり、無視してボールを回してくれなくなったのです。チーム内は30人以上のアルバニア人選手に対してセルビア人は僕一人だけです。もう家に逃げ帰ることしか、考えられませんでした」

ショーシッチは依る場所がなくなってしまった。

「アルバニア系からの嫌がらせも相当ひどかったけど、僕にとってはセルビア系の脅迫のほうが厳しかった」。ショーシッチは、もう誰もパスをくれなくなったＦＫドリータを辞めざるをえなくなった。

「もうコソボ代表入りはあきらめました。今後どうしていいのか分からない。それでもサッカーをしたいです」

２００４年に「セルビア人が犬をけしかけて子どもを溺死させた」というデマが流れて、全土における焼き討ちや虐殺が発生した3月暴動から、10年。またしてもコソボでの共存を諦念せしめるような事件の勃発であった。そしてその火元がアルバニア本国の首相の親族から、飛んできたことの深刻さは極めて大きかった。

イスラム国に参加する戦士たち

年が明けた２０１５年のコソボは、政治的な混迷が続いた。

衝撃的な2枚の写真がフェイスブックから流れてきた。場所はイスラム過激組織が、イラクとシリアの国境を武力制圧して「国家」として宣言したＩＳＩＬ、いわゆるイスラム国である。最初の写真は、目隠しをされて後ろ手に縛られた捕虜の背後から、ひとりの男が巨大な山刀を大上段に振りかぶっている。隣の写真は、次の刹那である。胴体はまだそれを知らないかのようにピンと背筋を立てて座っているが、真下には切断された頭部が転がっている。切断面が剝き出しで思わず目を覆いたくなるが、男は振り下ろした刀を左腰に携え両足を揃えて自分の「仕事」に見入っている。この残虐な所業を仲間に撮影させて誇らしげに自らのフェイスブックにアップした人物の名前はラブデリム・マハジェリ。私が驚いたのは、その殺人行為を自らＳＮＳで発信してアピールしたこともさることながら、この男がコソボ出身のアルバニア人であるということだった。

マハジェリはコソボ南部の村、カチャニックからイスラム国へ、ムジャヒディン（戦士）として移住してきたという。調べてみれば、コソボから志願していったのは、彼だけではなかった。イスラム国は世界中から傭兵を募っているが、どの国からの参戦が多いのかを調査したラジオ「フリーヨーロッパ」の発表（15年6月）によればコソボは100万人あたりに83人を送っており、ボスニアの92人に次いでヨーロッパで二番目の多さである。ボスニアの場合は、ボスニア紛争のときにムスリム勢力の援軍としてイランなど中東諸国から、傭兵としてやってきてそのまま国籍をあてがわれ者たちが、そのパスポートでイスラム国に向かっているという実態がある。そのことを考え合わせれば実質上、コソボはイスラム国に対してヨーロッパでトップのムジャヒディン供給国となっている。これは脅威である。

コソボは米国の後ろ盾で独立を果たした国家であり、政治外交では、世界で最も親米の国。2008年2月17日にコソボ議会が独立宣言をすると、翌18日に即座にこれを承認したのも合衆国政府である。独立記念日には、コソボ国旗以上の数の星条旗が翻る。

よりによってそんな国から、反米のイスラム国に多くの人間が、兵士として移住に向かっている。現状を知りたくて2年ぶりに現地に飛んだ。

貧困と未来への不安が原因

「すべては貧困と未来が見えないことが原因だ。それによって過激な連中がつけ入る隙を与えている」とプリシュティナの中央バスターミナルの職員は言った。

2015年の11月から年末にかけてこのバスターミナルから、約10万人の市民が難民となってコソボから流出している。人口が180万人の内の10万人が国を棄てているから、半端な数字ではない。彼はそれを見送っている。「仕事がないんだ。俺も機会があれば逃げたいよ。去年はドイツが難民の受け入れを緩和したという情報が流れたので、どっと国を飛び出したんだ。特にジャコバから大量に流出した」

「えっ、ロシアカップでU-12が優勝した。あのジャコバから！」

入国して難民申請をすれば1カ月で受理されて手厚い保護がなされるということで、真冬にも関わらず、着の身着のままでコソボの人々は家を捨てた。しかし、この情報は正しくなかった。すぐにドイツ政府は否定したが、それでも流出は止まらなかった。

「デマと分かっても摘発に恐れながら、外国に留まり続けている連中が山ほどいる。それに比べれば堂々と入国できて、高額なギャラがもらえるシリアに兵士として行くのは不思議じゃない」

イスラム国行きもただの選択肢だと、しれっと言い放った。コソボは独立はしたものの若年層の失業率は65％を超える。南部の寒村では、どれだけ働いても月収が300ユーロ（約3万6千円）を越えることはない。元々、この地域は分裂する前のユーゴ時代から豊かなスロベニアやクロアチアに支えられていたが、独立後はそれが欧米の支援に切り替わったに過ぎない。OECD（経済協力開発機構）のデータベースによれば、コソボに対する一人当たりの援助額は援助を最も必要としているサハラ以南のアフリカの国々よりも、金額が多い。コソボが破綻したら、NATO軍や欧米諸国が行ったことは、その大義が根底から問われてしまうので意地になって援助を続けているが、矛盾だらけのこの支援構造を揶揄し、EUのお荷物となったギリシャのことを「コソボ化」と呼ぶ経済学者さえいる。

市民からは、KLA上がりの政治家や腐敗した役人の搾取によって、その大きな援助が末端まで降りてこないことへの不満が大きい。若者の間には喪失感と厭世気分が蔓延している。

かような空気が流れているところへ、イスラム国からのリクルーターが多数入り込んで高額のユーロ紙幣を片手にオルグ活動をすれば、心が傾くのも無理はない。

職員は言った。「今、イスラム国のリクルーターは至るところにいる。イスタンブール経由でプリシュティナに入って情報を求めてくる。このターミナルで荷物を抱えた家族連れを待ち受けて声をかける人物もいて、警官とトラブルになったこともある」

米国の肝煎りによって36歳で国のトップに就任したヤヒヤガ大統領が事態を重く見て「お願いだから国を棄てないで欲しい」と懇願したのもこのターミナルだ。ヤヒヤガにすれば米国に顔向けができないので当然だ。実際に出稼ぎの感覚でイスラム国へ通っている人間もいるという。政府もようやく問題視して、「シリアに一度入国した人間はコソボへの帰国を認めない」という政策を打ち出した。

元々、コソボのムスリムはボスニアのそれと同様で、極めて穏健でアイデンティティとしても希薄であった。しかし、独立後、そこにイスラムの純化を促進する過激なスンニ派ワッハーブ派の使徒がサウジアラビアから数多く入ってきた。影響は大きく、政府閣僚までもが、この地域の偉人として誰もが尊敬するマザー・テレサ（コソボ生まれのアルバニア人のキリスト教徒である）に対して、「彼女はイスラム教徒ではないから、地獄に落ちただろう」という発言をして物議を醸した。かつては考えられなかったことだが、今ではモスク（教会）内において信者にシリア行きを勧めるイマーム（指導者）がいて、衝突することが頻繁であるという。イスラム国のリクルーターが活動の拠点にしているというシリウスホテルの周辺を張り込んだ。もはや10年前とは比較にならないほどの開発が施された近代的なホテルの脇で、イスラム国に実際に誘われたという人物に出会った。

「リクルーターはホテル、モスク、地方では農家などに直接訪ねてくる。俺は一応、職にも就いているし、やはり家族のことを考えて行かなかった。それでもジハードについて熱く語られると若者や人生に迷っている人間は感化される。シリアから来たリクルーターだけではなく地元のイマームがイスラム国行きを薦めてくることもあった」

「イスラム国に対する見解の相違でイマーム同士の対立も頻繁に起こりだしたと聞いたが」

「そうだ。ここ数年になってだが、教会の中でもイスラム国行きを止めようとしたイマームがいきなり襲われた事件もあった。コソボではイスラム国へ勧誘したという罪で80人近いイマームがもう逮捕されている」

「聞いたところによると、プリシュティナで最大のモスクのイマームも捕まったとか」

「シェフケ・クラスニキのことだな。彼も礼拝に来た信者をアサド大統領から土地を奪回するためにシリアに行け、と扇動したので逮捕された。コソボ政府はシリアへ行った者はもう二度と入国させないと言っているが、逆に出国に拍車をかけるかもしれない。反米だろうが、過激思想であろうが、今の年収の20倍ももらえるのだから」

前年10月には、父親と一緒に8歳の少年がイスラム国に連れていかれたが、出国を拒んだ母親の懇願によって奪還された。しかし、父はシリアに残ったままで、家族が分断されるという悲劇も起こっている。

イスラム国で２００人近い人員で構成されたコソボ出身者部隊は、すでに15名が自爆テロで命を落としており、勇猛果敢で知られるという。米国は、アフガニスタンのアルカイーダのように、またも自国にはね返ってくるブーメランを放ってしまったのかもしれない。

アイデンティティは「コソボのアルバニア人」

私はアフリム・トビャルラーニを訪ねた。1章で記したが、彼は、FKプリシュティナで10代の頃から10番を背負った選手であった。ユーゴスラビアのユース世代で代表に選出されて活躍していたが、ミロシェビッチ政権が、アルバニア語による教育や報道を厳しく制限し、さらには国営企業からアルバニア系の従業員約8万人を解雇すると、ユーゴ政府に対する抗議の意味をこめて、他のアルバニア系選手とともにユーゴリーグから脱退した。1991年8月、24歳の時であった。

以降は、自分たちで立ち上げた独立リーグで無償のプレーをしながら、ピザ屋を経営して家族を養ってきた。引退後は、2004年にサラエボでS級ライセンスを取得、今は指導者の道を歩み始めている。キャリア的にも年齢的にも彼が現場レベルで独立後のコソボサッカーをリーダーとして牽引していくのは、間違いのないところである。ただ1999年に起きたラチャク村の虐殺事件以降、私がコソボにおける歴史の節目ごとに彼の言葉が欲しくてこのプリシュティナのピザ屋のドアを押すのは、その彼のキャリアだけが理由ではない。トビャルラーニは、いつも極めて冷静に政治との距離を保っているのだ。

民族が受けた理不尽な差別への抗議は徹底して行う。しかし安易に民族主義の熱狂に飲み込まれて自分の言葉を失くしたり、他民族へのヘイト発言はしない。

毎度のことながら絶品のピザを食べながらインタビューすることにした。プリシュティナの市営図書館を右に見て左折、ガズメンド通りを上って行くと彼の店である。地下への階段を降りると、小麦粉が焼ける香ばしい匂いが鼻孔をくすぐった。イタリアの3部リーグ、セリエCでプレーしたときに買い付けてきたピザ焼き窯が、稼働している。かつてサビチェビッチ（現モンテネグロサッカー協会会長）とともにユーゴのユース代表の期待の３人に名前があげられていた男は、同世代の選手が世界に羽ばたいていく中、24歳でその道をあきらめ、ひたすら同胞のために生きてきた。何も注文していないのに、ジョッキにビールをついでテーブルに運んできた。

「前回会ったときからいろんなことがあったよ」といきなり、言う。

「以前に会ったときはＦＫプリシュティナの監督をしていたね」

「プリシュティナではカップ戦とリーグ5冠を達成した。でも契約は満了ということで辞めて、今はフリーだよ。外国の結構なクラブからのオファーもきているが、コソボのチーム以外で仕事をする気はないよ」

「どうして？　外国の大きなクラブへステップアップすることはサッカーの指導者として良い意味での野心じゃないか」。常に上を見ろ！　とオシムが言っていたことを思い出してハッパをかけた。

「いや、違うんだ。今は絶対に行かない。なぜならば、来年からコソボのチームもＵＥＦＡカップとチャンピオンズリーグの予選に出場できることになったんだ」

「そうか、ＦＩＦＡ加盟が近づいたんだな。長かったなあ」

25年ぶりのＣＬ（当時はチャンピオンズカップ）への復帰である。願わくば、早く次のクラブが決まって欲しい。

アフリム・トビャルラーニ。コソボ独立リーグ時代を知るコソボの10番。ピザ店の前で。

例の事件について聞いた。

「アルバニアとセルビアの試合で大アルバニア主義の旗を下げたドローンが飛ばされて没収試合になったけれど、あの事件はどう考えている？」。顔が歪んだ。

「まったくナンセンスだと思う。サッカーと関係のない問題をなぜ政治家が、ピッチに持ち込んだのか、自分には理解できない。しかもコソボの問題を理由にして。選手に対しても失礼な行為だ。もうひとつ言いたいのは選手を巻き込まないで欲しい。苦労するのは我々の世代だけで十分だ」

苦労したという、かつてユーゴリーグでのプレーをボイコットしたことについて聞くと、こんなことを言った。

「それはイメージしたんだよ。いくら潤沢な環境でもアルバニア民族が誰も見に来ないスタジアムでFKプリシュティナのメンバーとして自分はプレーできるか？　受け入れがたかった。それで独立リーグを作ってプレーした。給料なんて出ない。つまり我々はお金のためにサッカーを続けたのではなくて、まさにサッカーを愛するからサッカーを続けたんだ」

ビールを飲んでマルゲリータをかじる。この店のピザが美味いのは、トビャルラーニの言葉が調味料になっているからだ。

「コソボのカチャニックからイスラム国へ兵士として渡った若者が残虐行為を行っている映像が流れているが、あれに対するプリシュティナの市民の反応はどう？」

「ここは首都だけれど、カチャニックは特に貧しい村だからな。イスラム国の連中は、特に目をつけた農村部で勧誘している。私が思うに、外国からの勢力の介入を防ぐだけでは抑止にならない。コソボの貧困をなくさないと問題は解決しない。コソボリーグの将来的な整備のためにも絶対にテロを許してはいけないと思うんだ」

毅然と言ったあとに、「そうそう」と無邪気に付け加えた。

「ヴァハ（＝ハリルホジッチ）は意志の強い監督だぞ。私は彼のモスタル時代のプレーに憧れたものだ」。

ボスニア人の日本代表監督についてそう讃えた。

会話がくだけたところで、アルバニア本国との合併についてどう思うかを尋ねた。現在コソボではアルバニアとの合併を主張する政党「自己決定運動党」（VETEVENDOSJE）が大きな勢力を持ちえている。国境を今になって取り払い、コソボとアルバニアを一つにして大アルバニアを実現させるということは、ＥＵはもちろん、さすがに米国も許さないであろうが、ドローン事件以降、この極右政党は急速に支持を集めてきた。トビャルラーニは、少し憮然とした表情を見せた。少なくとも今の流れを好ましく思っていないようだ。

「コソボは独立してまだ日が浅い国だ。だからアルバニア人にも、セルビア人にも、互いをよく知るためのきっかけとして〝コソボ人〟という概念が与えられたのだと思う。私は自分のアイデンティティをアルバニア人ではなく、『コソボのアルバニア人』としている。世界から認められた独立した国、コソボを祖国とするコソボのアルバニア人として名乗って死んでいきたい。アルバニア本国との合併については考えたことがない」

コソボのアルバニア人というアイデンティティ。そこには、セルビア人を含むコソボの他の民族を認めるという意図がある。

トビャルラーニにしてもセルビア軍による「民族浄化」に遭っている。ＮＡＴＯ軍が空爆を開始すると、ピザ屋にもセルビア兵がやって来て「15分でこの家から出て行け」と告げられたのである。命の危険を感じたトビャルラーニは、幼な子を連れて取るものも取りあえず北マケドニアのテトヴォに逃れている。壮絶な難民生活を強いられた後にようやく帰国を果たした。しかし、憎悪の連鎖の隊列に加わろうとしない。ペスカトーレをテイクアウトに頼んだ。ここのピザをスタジアム裏のバラックにいるセルビア難民のルーカに差し入れようと思った。

2―2016年5月FIFA加盟

もう一人の功労者

2016年5月13日。FIFAはついにコソボの加盟を承認した（ジブラルタルも同時加盟）。

言うまでもなく、そこにはコソボサッカー協会会長であるヴォークリの献身的な外交努力があった。コソボ協会のスタッフであるアジム・アデミは言った。「ヴォークリは選手として偉大でした。そして会長としても抜群のネゴシエート能力を発揮してくれました。彼の人脈はすごかった。ユーゴ代表時代からの旧友、クロアチア人のシューケル（フランスW杯得点王）、モンテネグロ人のサビチェビッチ（モンテネグロサッカー協会会長）、ボスニア人のハジベキッチ（元ボスニア代表監督）、スロベニア人のカタネッチ（元スロベニア代表監督）……、各国で代表監督や要職に就いていた昔の仲間を通じてUEFAやFIFAを動かしていきました。セルビア協会の会長のトミスラフ・カラジッチでさえ、パルチザン・ベオグラード時代の交流を活かして私人としてシンパにしていった。そこにはもはや政治の入り込む余地はなかったと思います」

セルビアサッカー協会がスポーツ仲裁裁判所（CAS）に「この加盟は規約違反だ」と訴えを起こしたが、却下されている。民族という属性ではなく、自身への信頼を土台としたヴォークリの強烈なリーダーシップによる働きかけが、ＦＩＦＡの「承認は国連加盟が条件」という原則を覆していった。しかし、影の大功労者がもう一人いた。それは副会長のプレドラグ・ヨービッチである。そう、名前からも察せられるように彼はセルビア人である。コソボ内の小さなセルビア人エンクレイブ、サルックヴェノイに生まれたヨービッチは、10代の頃、オビリッチＦＣに所属していたが、膝の半月板を負傷してからは、選手としてではなくクラブのアドバイザーや顧問として活動してきた。

ＦＩＦＡ加盟申請にあたっては、コソボサッカー協会自体が民族融和の体を成していることをアピールする必要があった。ＦＩＦＡは「NO Racism」＝反差別のスローガンを明確に打ち出しており、民族の排除や分断を許さないという一貫した姿勢を貫いている。２０１１年4月には、融和を拒み、ムスリム、クロアチア、セルビアの主要民族ごとに3つの協会に分裂していたボスニアサッカー協会を一時的に除名していた（詳細は拙著『オシム　終わりなき闘い』に譲るが、これをひとつに統一したのがイビツァ・オシムであった）。

コソボがその6つの星をあしらった国旗の理念通り、サッカー協会も多民族で運営されているということをＦＩＦＡに対してもアピールする必要があった。間違っても政治同様にアルバニアとセルビアの二重構造になっているということでは、承認は程遠い。そこでコソボ協会は、協力的なセルビア人の人材を探し出した。会長はアルバニア人のヴォークリ、副会長にセルビア人のヨービッチという布陣で加盟承認活動をしていたのである。

ヨービッチはブダペストで行われたＦＩＦＡ総会におけるブラッターＦＩＦＡ会長とヴォークリの会談にも同席して盛んに加盟を懇願している。当然ながら、セルビア人たち、特にメトヒヤサッカー協会のメンバーからは、「裏切り者」という最大の罵倒を受け続けた。コソボ独立を認めないセルビア側からすれば、自国領土内にアルバニア人たちが、勝手にサッカー協会を立ち上げて、ＦＩＦＡの加盟申請に動いている。しかもこともあろうにそこの副会長に収まって工作をしているセルビア人などは、度し難い民族の反逆者となる。すでに各国の大使館も置かれ、パスポートも認知されている現在でも、聖地コソボはセルビアの一部であるという意地のようなセルビア政府の主張は、国境で体験できる。車でセルビアからコソボに入って再びセルビアに戻ると、山間部メルダレの国境で奇妙な通過儀礼が行われるのだ。陸続きのヨーロッパでは、通常ボーダーには二国のイミグレーション（出入国審査所）が前後に連なっており、例えばＡ国からＢ国に入るときはＡ国側のイミグレで出国のスタンプをパスポートにもらい、次にＢ国側で入国を押される。ところが、コソボから再びセルビアに入る際には、コソボの出国スタンプの上にセルビアのイミグレは、入国と押さずにＡＮＵＬＬＥ（取り消し、無効）とインクで被せるのだ。コソボ側が「はい、滞在お疲れさま。次は外国のセルビア、ここの道路を進んであっちの入管へ」と送れば「何を言う、国内移動じゃないか。この出入国スタンプは茶番だ。無効だ、無効だ。向田邦子」とセルビアが打ち消す。取り消しというスタンプを押すためだけに、イミグレを設置しているのだ。

コソボからセルビアに戻ると、パスポートのコソボの出国記録の上に「無効」のスタンプが押される。

そんな制度や空気の中で、敢然としてコソボ協会の幹部に就いたヨービッチに対するセルビア人からの批判は、辛辣極まった。いわく「彼は魂を自らの地位のために売ったのです」「コソボで自分の家族の安全保障を取り付けるためにヴォークリに利用されることを望んだ」「我々民族を拉致し、臓器を奪うようなことをする連中のアクセサリーとして生きることを望んでいる」

ヨービッチはセルビアの民族籍であることを、FIFAを含めた対外外交に利用されているし、自分もそれを分かって立ち振る舞っている、と非難する関係者が多かった。

「裏切り者」の信念

どのような人物なのか。コソボサッカー協会に連絡を取ると、即座に取材に応じると回答がきた。

「私は『人は自分の家族のために決意と責任を持つべきだ』と考えています。今、セルビア人は苦しい生活をしています。そんな窮地のときに私を助けてくれたのが、コソボ政府の文化スポーツ省のクイティム・シャラ大臣でした。彼はスポーツ省の少数民族スポーツ部に私の席を用意してくれました。それで2010年にサッカー協会の副会長に任命されたのです。もう何世紀もの間このコソボというのはセルビア人の土地でもありました。だから、一緒に生きていけるのです」

コソボ政府の呼びかけによる政治参画に乗ったのである。当然ながら、コソボはセルビアのものと言わず、セルビア人の土地でもあります、との言い方から、コソボのマイノリティとして生きてゆく覚悟を固めていることが見て取れた。聞きづらいが、最も聞きたいことを口にした。

「コソボの独立を追認する行為になることで、あなたはセルビアの同胞たちから、裏切り者と言われていますが、その批判についてどう考えていますか?」。ヨービッチは柔和な表情を崩さなかった。彼は否定も肯定もせずに昔の話から、言葉を紡いだ。

「私が子どもの頃、誰が何民族かということは気にしませんでした。農業においても炭鉱においても多民族の共同作業ができていました。その後に起きた大きな混乱についてはもう語りたくない。それはもう口に出した瞬間に政治になるからです。遺恨は要らない。私が見つめているのは未来だけです。次世代のためにも、アルバニア人と、善き隣人としての関係を育んで、若者の明るい将来のために仕事をしたいのです」。もはや、コソボのセルビア人は現実を見て生きていくしかない、というのが、彼の意志であった。ヨービッチにしても聖地が外国になってしまうという、我が身が引き剝がされるような独立を認めたくはないが、リアルな生活空間としてコソボが国家として歩み始めている。国として形成される過程において、言いたいことは山ほどある。しかし、それを嘆くよりも現実的にコソボ共和国の一員として積極的に政治に参加する方が、この地のセルビア人にとっても幸福な未来が待っているのではないか。ヨービッチは民族の大義よりもリアルな未来を選択したという。

「その選択は現実的ですが、一方では現実的ではないとも言えます。なぜならば、セルビア人エンクレイブの人々は、メトヒヤサッカー協会を作ってそこでのサッカーを決意しています。ミロシェビッチ政権時代のアルバニア人と同様で、それはアイデンティティの問題に直結している。メトヒヤ協会に所属する選手をコソボ協会に移籍させるのは、『もうセルビア人であることを辞めろ』というのに等しい。私などよりも貴方の方がよく御存知のはずだが、結局、コソボ代表を断念したショーシッチの例もある。どうやって多民族チームを作っていくつもりなのですか？」

セルビア人としてコソボ代表チームの民族融和に尽力したプレドラグ・ヨービッチ（右）。

ヨービッチは首を横に何度も振った。

「セルビア人エンクレイブのクラブに関しては、沈着冷静な話し合いをもって参加を説得するという課題が確かに残っています。強制はしません。コソボのサッカーの発展を望む者であれば、いつでも私達の扉は開いているというのが、私とヴォークリ会長の方針です」

ヨービッチ自身も半ばあきらめているのだ。コソボのセルビア人たちにコソボリーグの参加を求めにいくということは、それ自体が、独立を追認しろというオルグ、政治活動になってしまう。それを自覚しているのだ。サッカー協会であれ何であれ、コソボ政府管轄の団体に入ることを、セルビア人たちは融和と捉えず、同化と考える。この点、民族ごとに領土が分割されたボスニアの多民族代表チームなどとは、同日に論じられない。

コソボフィルハーモニー交響楽団という民族融和を謳ったオーケストラがある。日本人指揮者が露出をアピールしているこの楽団にもセルビア人の楽団員がいるが、取材をして驚いた。地元コソボのセルビア人ではなく、本国の首都ベオグラードから来た人物であったのだ。「俺はプロだから、ギャラさえもらえば、コソボだろうが、アメリカだろうが行くだけだ」。これではまったく意義が異なる。その地で暮らす者同士の共存ではなく、在外のプロを仕事として呼んでいるに過ぎない。パレスチナにニューヨークのユダヤ人を招いてコラボをさせて融和と謳っているようなものである。かつてユーゴリーグにアルバニア人選手を参加させることが困難であったこと以上に、今のコソボリーグにセルビア人選手が加わることは、リアリティがない。

ヨービッチはしかし、「自分は多民族の代表チームを作る」と言い続けた。「私の仕事は、コソボに生まれた選手たちが、セルビアでもアルバニアでもないそのままコソボのために試合に出られるようにサポートするだけです。私はコソボのユニフォームに対して誇りを抱いています」

換言すれば、コソボの独立は認めても、大アルバニア、すなわちアルバニアとの合併は断じて認めないという。コソボはセルビアのものでもアルバニアのものでもない。自分はコソボのセルビア人。これは、コソボのアルバニア人と自称するトビャルラーニと同じ思考だ。ヨービッチは、同胞から生涯裏切り者の汚名を着せられることをとっくに覚悟していた。

3―2016年 ロシアW杯予選密着

コソボ代表監督 アルベルト・ブニャーキの苦悩

2016年9月29日、ひとりの男がプリシュティナ空港に降り立った。短く刈り込んだ頭髪と精悍な眼差しが、意志の強さを感じさせる。人物の名前はアルベルト・ブニャーキ。FIFA加盟を果たしたコソボの代表監督である。W杯ロシア大会予選が始まっていた。コソボの国際大会の記念すべきホームでの初陣を10月6日に控えての帰国であった。1971年生まれのブニャーキは、在外1世のコソボ出身者の中でもとりわけ数奇な運命を歩んできた。ジュニアユースの世代から、20歳までFKプリシュティナでプレーをしていたが、1991年にユーゴスラビアの内戦が始まった。クロアチアがユーゴ連邦からの分離独立を宣言し、これを押し留めようと連邦軍が、軍事行動に出たのである。

当時、ブニャーキはサッカー選手であると同時に医学部の学生でもあったが、このままでは、徴兵に取られてブコバル包囲戦に投入されると聞かされていた。クロアチアの西スラボニアに位置するブコバルは、建物の9割が破壊された大激戦地であり、ここへの徴兵はクロアチア人を虐殺する側にまわることを意味した。ブニャーキはそれを拒否するために単身でスウェーデンに逃れた。亡命先のストックホルムでは、当初、難民収容所での生活を余儀なくされていた。やがて難民認定から、市民権を得てサッカー選手にコンディションを戻し、スウェーデンの2部リーグでプレーを始めた。8年ほど現役を続けて引退すると、99年からコーチになり、カルマルFFの助監督として07年9月27日のカップ戦決勝で名門ヨーテボルを破って優勝に導いている。コソボ代表との関わりは長く、2000年から、自身のネットワークを活かして国外に移住したコソボ代表のスカウト兼国外コンタクトパーソンとしての活動を始めており、09年5月に代表監督に就任している。

ブニャーキが率いるコソボ代表が7日後に対戦するのは、何の因果か、かつて彼がそこに銃を向けることを拒否して国外へ渡ることを決意した国、クロアチアであった。同じくユーゴスラビアを構成していたクロアチアは、独立後、いきなりフランスW杯で3位になった強豪国だが、この手ごわい相手に対するスカウティング以前にブニャーキには、大きな仕事が残っていた。

試合まで残り1週間を切っているというのに、招集する代表選手が、まだ確定していなかったのである。コソボのアルバニア人たちは、紛争によって約40万人が国外に逃れているが、現在はその難民や移民2世の選手たちが、移住先で成長してビッグクラブでプレーしているケースが多い。グラニト・ジャカはスイス生まれでアーセナルで不動の地位を築いているし、ベルギーのパスポートを持つアドナン・ヤヌザイは、マンチェスター・ユナイテッドで香川真司とポジション争いを繰り広げていた。バイエルン・ミュンヘンからストーク・シティへ移籍したジャルダン・シャキリもスイス代表であるが、両親はコソボの出身

コソボ代表監督アルベルト・ブニャーキ。ロシアW杯予選を前に、選手の招集に苦闘する。

である。FIFAは新しい国が加盟した場合は、そこにルーツを持つ選手ならば、すでに他国での国際試合出場の実績があっても転籍することを認めているのだ（90年にユーゴ代表だったロベルト・プロシネチキは98年にはクロアチア代表でW杯に出場してそれぞれでゴールをあげている）。ブニャーキの構想としては、これら、ジャカ、ヤヌザイ、シャキリなど、移住先で国家代表を担っている選手を招集することができれば、ロシアW杯への道を現実的に描けるチームをすぐにでも作れるというものだった。

ミロト・ラシツァはオランダのフィテッセで日本の太田宏介とチームメイトだった。

宿舎にしているエメラルドホテルでブニャーキは連日、国外でプレーする選手たちに電話をかけて説得を続けていた。特にジャカには、熱心にアプローチを施していた。

しかし、サッカー選手として自身のキャリアを考えた場合、ヨーロッパの中堅国であるスイスやベルギーでかち得た代表の座を捨てて、生まれたばかりの小国コソボに駆けつけてくれというリクエストは酷なものであった。ヤヌザイなども3月に行われた練習試合にはコソボ代表で出場をしていたが、結局、ブニャーキが目玉に据えようとした3人の選手は、彼も含めて誰も招集に応じなかった。

そんな中で、攻撃の柱に据えようと盛んに説得していた若い選手が、決断を下してくれた。オランダのフィテッセに所属するミロト・ラシツァはU－17のアルバニア代表であったが、コソボのユニフォームを選んでくれたのである。

元日本代表で、フィテッセでラシツァとチームメイトであった太田宏介（町田ゼルビア）はその人となりとプレーぶりをこう語る。

「僕が会ったとき、まだ彼は19歳だったかな。ロッカーが隣だったんですけど、フレンドリーによく話しかけてくれて、チームで一番喋りやすい選手でしたね。コースケ、俺はラシカじゃねえ、ラシッァ、ツァだ、とか発音の練習をさせられたりね（笑）。プレーで言えば、あいつは必ず右ウィングで僕は左サイドバックなんで紅白戦では、いつもバチバチやっていました。まだ当時は粗削りで、縦しかいけなくて、あまりバリエーションがなかったんですよ。でも試合になると、実戦的で、とにかく仕掛ける姿勢と圧倒的な速さで、あのオランダのカテゴリーでは、無双していたんです」

太田も一目置くスピードスターだった。ブニャーキの喜び方は、尋常ではなかった。「これで攻撃の軸ができた」

ラシツァ自身は、アルバニアではなくコソボ代表を選んだ理由をこう語った。

「これまでの人生で最も難しい選択でした。僕はアルバニア人です。ただ、生まれ育ったのはコソボです。とても悩みましたが　故郷のためにサッカーをしようと決断しました」

自らの決断をフェイスブックに投稿した。ところが、これが炎上を招いた。

民族の裏切り者というワードがいっせいに降りかかってきた。「勘違いするな」「コソボは国じゃないアルバニアの州だ」。大アルバニア主義の主張そのものである。アルバニア本国からの投稿よりも応援をしてくれると思っていたコソボ市民からのバッシングが堪（こた）えた。公然と「俺はコソボ代表なんか、応援しねえ」というサポーターが珍しくなかった。

「仕方ないですね。いろんな人がいますが、これは僕の人生ですから」

ブニャーキの呼びかけに応じて、アルバニア代表から、コソボ代表に移った選手は６人にのぼったが、そのことで指揮官への批判さえ始まっていた。ここで、コソボ代表チームが始動した時期の政治の空気を伝えておきたい。

大アルバニア主義「自己決定運動党」党首インタビュー

国旗の6つの星を入れ込んで、多民族国家としての建国が許されていたコソボであったが、すでに「自己決定運動党」は、すさまじい勢いで支持者を増やしていた。国政議会で、同党は第3党の地位を確立し、首都プリシュティナでは与党の地位を獲得していた。プリシュティナ市街の信号機にはサブリミナル効果を狙ったのか、赤ランプにアルバニア国旗、あるいは「セルビア製品をボイコットしよう」という文字が浮かび上がるステッカーがそこかしこに貼られている。マスコミ言論に対するテロ事件も起こっていた。コソボ国営放送であるRTKは、日本のNHKやJICAなどの協力を得て、アルバニア人とセルビア人、両者のスタッフを使って民族融和の番組作りを進めており、報道姿勢もリベラルなことで知られていた。しかし、8月には同局の会長であるシャラ・メンター氏の私邸に爆弾が投げ込まれるという事件が起こった。犯行声明には、領土拡大に繋がる国境問題を冷静に伝えるRTKへの非難と脅迫が記されていた。「シャラ・メンターは、報道機関として我々の立場をまったく伝えない。即辞任しなければ、更に攻撃をエスカレートさせる」。この事件の実行犯も自己決定運動党の支持者と言われている。大アルバニアへの野心を党の方針に据える自己決定運動党のビザール・イメリ党首に敢行したインタビューをここに記す。

――アルバニアと合併しようとする大アルバニア主義についてその論拠と方向性をお聞きしたい。領

(左)大アルバニアへの野心を党の方針として据える「自己決定運動党」のビザール・イメリ党首。
(右)もともとコソボ国旗の原案として考えられていた国旗。双頭の鷲がデザインされている。

土拡大ということでは第二次大戦後の世界秩序をひとつ変えてしまうことになります。またコソボ内における少数民族の人権が担保されなくなるのではないかという懸念もあります。公用語として認められている他の民族の言葉がすべてアルバニア語にされてしまうのではないでしょうか。

「これは我々の民族を団結させるための指針であり、ほかの国に不当に何かを要求しているものではない。これはむしろこの地域の安静と平和を保つために、アルバニア人の社会、経済そして政治の成長を促すために必要だ。アルバニアという一つの国が、二つに引き裂かれる道理はない」

――自己決定運動党の支持者、特に若者に話を聞くと、多民族共存を唱えるコソボ憲法や国旗や国歌はヨーロッパに押し付けられたものだと主張します。貴党の名前もそこに由来するものだと思います。憲法を外国から押し付けられたという主張は、日本の右派に通じるものがありますが、今後どう変えていきたいのですか。

「日本の憲法のことはコメントを控えよう。まずは今のコソボの国旗について語らなければならない。今のコソボ国旗はヨーロッパのコンテストで選ばれたもので、コソボの歴史もコソボの今の現状も代表しない国旗だ。独立した日に議会の評決も通らずに突然国民の前に出された代物だ。アルバニア本国の国旗、スカンデルベグ時代から続く赤地に双頭の鷲というデザインは、歴史を象徴する国旗だ。しかし、現在の青地に6つの星のコソボ国旗はそうではない。アルバニアの国旗を少しいじるだけで立派なコソボの国旗になれたはずだし、アルバニアと合併するまでの間において申し分ないはずだ。我々アルバニア人は、二つの国が団結することでさらに強くなることを主張したい」

——やはりアルバニア本国との合併が大きなテーマとしてあるのでしょうが、その領土拡大の根拠はどこにあると主張しますか。

「かつてはコソボとアルバニアにまたがるプリズレン同盟というものがあった。繰り返すが、現在のコソボ憲法はヨーロッパに押し付けられたものだ。我々アルバニア人の本当の自由は、一つの国になることでしか達成することはできない。国境がアルバニアの民が住むすべての土地に広まっていないのは隣接する国々、特にセルビアとギリシャの陰謀によるものが大きい」

1878年にオスマントルコ時代におけるアルバニア人居住地の自治と独立を目的にプリズレンで結成されたプリズレン同盟を論拠とした。確かにそのプリズレンがアルバニアの独立地域にならずに現在はコソボの中にある。しかし、時代ごとに目まぐるしく領土が変化したヨーロッパの国々が19世紀に遡ってそれぞれの主張をしだすと、収拾がつかなくならないだろうか。

——サッカーの会場では大アルバニアの地図がドローンで飛ばされて大きな事件となりました。コソボサッカー協会の会長であるヴォークリは、「我々はアルバニア人でもセルビア人でもなくコソボ人として戦う」と、コメントしていました。そのような民族融和の主張が認められてコソボは国連よりも先にFIFAに加盟ができました。サッカー界では共存すべきだという主張が進んでいますが。

「それについては面白い話がある、（コソボ代表のアウェイ初戦となった）フィンランド戦では、ビデオメッセージでヴォークリ会長がサポーターに『応援するときは、双頭の鷲のアルバニアの旗ではなく我々コソボの旗を使って欲しい』と言っていた。サッカー協会が我が民族の国旗を遠ざけようとしている。『これはＦＩＦＡの決まり事だ』といった虚言を使ってまでだ。サポーターは好きな国旗を掲げる権利を持っている、コソボを応援する者たちのほとんどがアルバニア人でアルバニアの一つの代表チームとして応援したい気持ちで観戦しているのにおかしいではないか」

イメリ党首は一貫してコソボはアルバニア人の国としてアルバニアと合併することで周辺も安定すると言い続けた。現実問題として国境の変更は周辺諸国のみならず建国の後盾となったアメリカも認めないであろう。独立に向けてＫＬＡの過激主義が奏功したことから、コソボには民主的なプロセスが根付く以前にこのような過激なアクションが称賛される気風がある。ドローン事件は最たるもので、没収試合に至らしめたあの実行犯を責めるどころか英雄視している現状がある。

「コソボのガンジー」ルゴバの盟友ルルズィム・ペーチ

一方、コソボ内にも冷静な知識層は存在する。元駐スウェーデンのコソボ大使で現在ＫＩＰＲＥＤ（コソボ政策調査研究所）の所長を務めるルルズィム・ペーチ所長は「コソボのガンジー」こと、穏健派のイブラヒム・ルゴバの盟友として活動してきた経歴を持つ。彼は終始「自己決定運動党」の政策を「大アルバニアという同一民族の大国家幻想を煽るポピュリズム」と批判してきた。ペーチにも話を聞いた。

――自己決定運動党の民族は一つの国としてまとまらないといけないという主張をどう考えますか。

「彼らは政府を運営した経験も外交を行った経験もないから、リアリティのないことが言えるのでしょう。アルバニア人が多数派であるアルバニアとコソボという国が二つあるのは、別におかしくない。ゲルマン民族の国がドイツとオーストリアというように二つ存在するのと同じです。コソボとアルバニアのケースは他の国にもあります。例えばルーマニアとモルドヴァ、またはギリシャとキプロスにもあります。私はスウェーデンだけではなく5つの国の大使を歴任したことで、物事を相対化することができます。ユーゴの崩壊を見れば分かるでしょう。大セルビア主義、大クロアチア主義、全てが悲劇を生んで失敗しています。歴史を学ばなくてはいけません。一民族一国家という幻想ではなく、コソボは早く市民社会を作らなくてはなりません。今でこそコソボとアルバニアは同じだと言っていますが、エンベル・ホッジャの独裁時代はコソボは本国とは距離を置いていた。むしろマケドニアの方が近かったのです」

――サッカー界が一足先にＦＩＦＡに加盟しましたが、ヴォークリが苦労していますね。

「ヴォークリの主張こそが正しいです。本当はコソボ人として、アルバニア人のためでなくてコソボに住んでいる人たちのことを考えて生きていく。市民は平等に扱われるべきです。私は5年間、ルゴバの隣にいました。今思えば彼はとても重要だった」

このようなペーチの発言はコソボ内に暮らすマイノリティをしばしば勇気付けてきた。しかし一度加速し始めた右傾化の流れの歯止めにはなれそうにない。憲法上タブーであった国境の変更について自己決定運動党以外の政党も議論に加わりだした。２０１６年9月末には政府議会においてコソボ民主党のナイト・ハサーニ議員が「アルバニアとの合併に関する国民投票を実施すべきタイミングではないか。民意を問うべきだ」と発言した。舵取りを国民投票で決めるというやり方は一見、民主的に感じられるが、バルカン半島は部族社会が根強く残っている地域であるために、それが実施されれば多数派が勝利することは自明であり、要は本国との合併に向かってのレールを敷けという主張である。

ブニャーキが世界で初めて公式に認められたコソボ代表チームを始動させたのは、まさにこの国民投票という主張が国会で出てきた時期であった。民族主義が沸騰する中、舵取りは困難を極めたが、それでも毅然として、ブニャーキはこんな言葉を発信した。「スポーツでは、選手のモチベーションを高めたり、団結を強めるために、民族主義がよく利用されます。しかし民族主義ではチームの質を高めることはできません。私が目指すのは、あくまでも質の高いチームを作ることです。一時的に、ナショナリストとの摩擦があるかも知れませんが、それは乗り越えなければなりません」

この考えは、言うまでもなく現場だけではなく、協会トップとも共有されている。会長のヴォークリは、ワールドカップ予選に臨むにあたり、すべての民族を結集することを考えていた。

「コソボはもはや一つの民族が支配する国ではありません。私たちは選手が属している民族ではなくサッカー選手としての能力だけを評価します」

このヴォークリのメッセージを抱えてグラーツへ持っていき、かつて彼をユーゴ代表に抜擢した恩師オシムに伝えると、警世家のボスニア人はこう言った。

「結果的に多くの民族の選手が参加することで人々を幸せにする。代表チームはそうあるべきだ。いいか、偏狭な民族主義者をどうや

「コソボのガンジー」イブラヒム・ルゴバの盟友として活動してきたルルズィム・ペーチ。

ったら生み出せるか教えてやろう。同じ属性の連中をひとつの家の中に閉じ込めて、他の交わりを絶って他者を批判する情報だけを吹き込んで、俺たちは被害者だと言い続けることだ。しばらくしたら、排外のモンスターができ上がる。過去の紛争は　サッカーとは関わりのないことだ。戦いたいのならピッチの上で戦うべきだ。森にこもるのではなくてね」

森にこもるという言い方は、もしかして山岳ゲリラだったＫＬＡの所業を批判しているのか？　と質したが、それ以上はフフンと笑うだけで答えず、いつものようにはぐらかされた。

国外から集まってきた代表選手たち

コソボ協会の副会長であるヨービッチも、会長と監督と同じ考えであった。セルビア人でありながら、コソボ代表の幹部になったことで凄まじいバッシングに遭いながら、彼の意志は変わらなかった。「このまま、世界に繋がらないセルビア人だけのサッカーシーンでプレーをしていてもいたずらに年齢を重ねるだけだ。将来を見いだせなくて、カフェで日々たむろしている連中に未来を見せてやらなければいけない。サッカーで交わることで問題の解決方法が見えてくるはずだ」

ヨービッチはついに単独で動き出していた。セルビア人エンクレイブであるチャグラビッツァにあるセルビア協会傘下のＦＫウグリャレに出向いて、代表のトラーヤ・ヨバノビッチにコソボ協会への統合を呼び掛けたのである。「もう意地を張るのはやめませんか。コソボのセルビア人ならば、コソボで代表を目指すのが、自然ではないですか」。ヨバノビッチは答えた。「その話は受け入れられない。コソボ我々の代表はあくまでもセルビア代表だ。コソボには何のアイデンティティもない。統合よりも支援が必要だ」

一時間ほどの会談はやはり物別れに終わった。「私は諦めませんよ」とヨービッチは最後に言って席を立ちチャグラビッツァをあとにした。

10月3日。ようやく国外から代表選手が到着し始めた。選手自身の決断もさることながら、転籍を照会しているＦＩＦＡからのレスポンスもイライラするほど遅いのだ。

それでも三々五々、国外から選手たちが、ホテルへ終結してくると、活気があふれてくる。マンチェスターシティのＭＦのベルサント・ツェリナ、クロアチアのＲＮＫスプリトのアミル・ラフマニ。そしてフィテッセからのラシツア。彼はこちらが日本の記者だと分かると、「コースケ！　コンニチハ！」と人懐こい笑みを浮かべた。しばし、太田について談笑していると、そこにもう一人、「タクミ～」と言って絡んできた選手がいた。南野拓実が所属するザルツブルグにいるヴァロン・ベリシャだった。ベリシャはスウェーデンのマルメでコソボ出身の両親の元で生まれ、移住したノルウェーで育ち、ノルウェー代表にも選出されて3試合のキャップ数があった。それでもコソボ代表への転籍を決断したのだ。コソボのパスポートを取得できるすべての民族に門戸を開いてはみたが、結果的に23人の代表選手のうち、22人がアルバニア系の選手となった。残りの一人は、ボシュニャク人のＧＫアディス・ヌルコビッチであった。

ようやく、全体練習が出来る陣容が整ったが、この時点でクロアチア戦までもう3日間しかなかった。急造チームであることはブニャーキも覚悟の上であった。トレーニングは、コンデイションと試合勘のためにミニゲームに終始した。

この日は、公開練習日だった。クーリングダウンが始まると、記者に囲まれたブニャーキは、「メディアを通じて伝えておきたい呼びかけがある」と切り出した。「6日のクロアチア戦、サポーターも大挙してスタジアムに来てくれると思うが、アルバニアの国旗を振る応援は絶対に止めて欲しい。我々に向けて持ち込みが許されるのは、コソボ国旗だけだ」。コソボは、コソボなのだ。ここでアルバニアの国旗を振るということは、FIFAがスタジアムでの禁止行為にしている政治的主張に抵触することになる。

今回、W杯予選の出場は認められたが、コソボ国内には、FIFAによる国際試合開催の基準を満たすスタジアムがなく、やむを得ず、アルバニアのシュコダル（「黄色い家」の取材のために入った都市である）、をホームとして主催することになっていた。アルバニアに登場したコソボ代表を応援するツールにアルバニア国旗が使用されれば、それはもろに大アルバニアの主張に重なってしまう。

「コソボ代表に向けて振られるべきは、コソボ国旗のみ」

これは、加盟を認めたFIFAからの通達であり、ヴォークリもヨービッチも共有している思いでもある。真っ当な要請であったが、この発言が記事になると、地元紙はこぞってブニャーキへのバッシングを始めた。

「こんな唾棄すべき声明が、コソボの監督から出てくるとは」「ブニャーキには民族意識がないのか」「コソボの地域主義にこだわり非現実的な平等社会を求めているのか」

熾烈に反応したのは、メディアだけではなかった。コソボ代表の公式サポーターグループの名称は、この地におけるアルバニア民族の祖先と言われている古代ダルダニア人を由来としてダルダネットというが、そのダルダネットのメンバーが翌日、練習場に押しかけてきた。

リーダーらしき人物が、芝生の上でタバコを吸いながら、革靴で入ってきてブニャーキに絡んだ。

「あんたもアルバニア人だろう。アルバニア以外の旗を掲げて世界に出るなんて恥ずかしくないのか」。ブニャーキは毅然としていた。「これはあくまでもコソボとクロアチアの対戦だ。試合と関係ない当該国以外の旗を持ち込まないのは常識だろう」

FIFAの規約を破れば、ペナルティを課せられる可能性もある。ホームの初戦でそんな恥をさらすわけにはいかない。ブニャーキは一歩も引かなかった。ダルダネットのリーダーは、「このアカ（共産主義者）が！」と捨て台詞を吐き、タバコを芝生に投げ捨てて、踵を返した。

取り残されたヨービッチ副会長

10月4日、コソボ代表チームは、エメラルドホテルから、開催地であるアルバニアの西部の都市、シュコダルに向けて出発した。ヴォークリ会長以下、協会の幹部も別のバスで現地に向かった。ところが、ここで異変が起きていた。セルビア人の副会長のヨービッチが残されていたのだ。取材パスを受け取りに協会の事務所に行ったら、当然先乗りしていると思っていた彼だけが、ポツネンと椅子に座っていた。悲し気な目をこちらに向けた。「私の移動も宿泊も何も手配がなされていなかった。ここまでコソボ協会のために尽くしてきたのに、この扱いはいったい何なのだ？」。その落胆と憔悴ぶりは、こちらの胸を突いた。保身のために魂を売った裏切り者という罵声を同胞セルビア人たちから浴びながらも、将来の融和のためにと、献身を捧げてきた。ヨービッチもまた親族をKLAに殺されているのだ。それでもそんな過去は、おくびにも出さず、アルバニア人職員と仕事を続けてきた。けれど、誰ひとりとして、現地へ向かうスケジュールを共有しようとしてくれなかったという。このままヨービッチがプリシュティナに残れば、それ見たことか、と再びセルビア側のメトヒヤ協会から罵声を浴びることは目に見えていた。かと言って、彼が協会のサポートなく、ひとりでアウェイのアルバニアに行けるはずがない。下手をすれば、暴徒に追われて大きなトラブルになりかねない。

「では、私たちと一緒に行こう」と提案した。この時、ＮＨＫＢＳのドキュメンタリーＷＡＶＥ（『忘れられた国の挑戦』）の仕事をしており、シュコダルに行くために取材用のワゴン車を借りていた。運転手は放送局ＲＴＫ１の撮影班にいるフィスニックというアルバニア人に頼んでいた。フィスニックは日ごろからセルビア人スタッフとのつき合いがあり、何の問題もなく、ヨービッチとの道行きを受け入れてくれた。

「もう私はシュコダルには、行かない。これから何が起きるのかを考えると怖いのだ」と頑なだったヨービッチも最後は覚悟を決めた。「確かにここまで来たら、試合を見届けようと思う」と車のシートに乗り込んだ。

ドライブは、スムーズだった。フィスニックがハンドルを握りながら、興味深いことを言った。「ユーゴスラビアの各民族は、宗教や言語が違うだろ？　ただ唯一、同じものがあるんだ。何だと思う？」「さあ」「いったん熱くなると、どこまでも一気に突っ走ってしまうメンタリティだよ。誰かが冷静だったら、あんな酷い戦争は起きなかったはずだ」

何となく、頷けた。この地域は被害と加害がオセロゲームのようにパタパタと何度も入れ替わった。どこかで歯止めが効かなかったのは、互いに対立民族の差異を強調しながらも実は、情緒や感情の持ちようがあまりに酷似していたからかもしれない。

途中、プリズレンで一度トイレ休憩をした。車外に出た途端、ヨービッチが身を硬くしたのが分かった。至る所にＫＬＡ兵士の彫像がある。ここは、自己決定運動党が合併の論拠にしているプリズレン同盟が結成された土地。大アルバニアをスローガンとするポスターも散見された。ヨービッチが「早く出よう」とせかしてきた。彼をセルビア人と知る者は、我々以外にはいないが、やはり、極度の緊張の中にいる。

シュコダルには夜、到着した。コソボ代表の宿舎がどこかも知らされていなかったヨービッチは、我々と同じホテルに泊まることになった。本来ならば、選手を激励してまわり、クロアチア協会とのミーティングにも参加している立場の人間である。なぜ、ひとりぼっちでいなくてはならないのか。心中を思い遣って、なるべく長い時間をかけて夕食をとった。

「明日はどうする？　我々は、昼間はシュコダル市内の取材にまわって、夜のクロアチア代表の練習に合わせてスタジアムに行くけれど」「ホテルから、自分でスタジアムに行く。これ以上、世話になるわけにはいかない」。コソボ協会のＦＩＦＡ加盟に奔走した副会長としての彼の誇りでもあった。

翌日、シュコダルの実景を撮影した。山と湖と河に囲まれた綺麗な都市である。ロザファ城のあまりの美しさに息を飲んだ。思い返せば、「黄色い家」の取材で3年前に来たときは、臓器密売の現場のことばかり考えて、自然や歴史旧跡に目がいく余裕すらなかった。市街を歩けば、アルバニアが唯一中国と外交を盛んに行っていた時代の名残で、中華商店がいくつか点在していた。

夜、明日の試合場となるロロ・ボリーチスタジアムに入った。ヴァトレニ（クロアチア代表の愛称＝炎の意味）たちは、軽快にボールを回している。エースのルカ・モドリッチ（レアル・マドリード）こそ、ケガで帯同していなかったが、レスターのクラマリッチにユベントスのマンジュキッチ、このアタッカーたちをコソボ代表が抑えるのは、至難のように思われた。

ピッチに下りて練習に見入っていると、しばらくしてヨービッチの姿が視界に入った。私のいるゴール裏に歩を進めてくるが、やつれている。

「ここに入ろうとしたら、入り口で止められたんだよ」。げっそりした声だった。「シュコダルの警員だから、きっと副会長だと分からなかったんだろう」。励まそうとした言葉は、怒気によって撥ね返された。「違う。私を止めたのは、コソボ協会の人間だったよ」「……」。かける言葉を失くした。「止めた男は顔見知りで、私に向かってあなたはセルビア出身だから、入れないと言ってきた。何を言っているんだ。私はコソボの生まれ育ちだ。私にとってはコソボが全てだった。だから協力してきたのだ。副会長などという肩書きは、FIFA加盟に必要なだけで、それが終われば、もう私の居場所はないということなのか」。一気に吐き出すと、ピッチに力のない視線を泳がせて、押し黙った。「コソボ協会の連中は案外、私のことを軽蔑していたのかもしれないな」。そんなことはないし、あってはいけないことだ。

コソボ代表は多民族で作るという理想は、会長も監督も共有していたはずだ。街場の大アルバニア主義に感化された職員がいたのか。さらに考えれば、対戦相手のクロアチアも第二次大戦中から、セルビアとは長い対立と遺恨の歴史がある。実景の撮影の合間にランチに入ったダウンタウンのパブでは、コソボとクロアチアのサポーターが、ともにビールジョッキを傾けながら、「ウビ、ウビ、ウビ、ツィガネ!」（セルビア人を殺せ、殺せ、殺せ）とチャントを合唱している現場に遭遇した。いわばこの試合は、アンチ・セルビア・ダービーだとも言える。そんな空気の中で思わずヨービッチに毒を吐いてしまったのか。明日の試合はとにかく、一緒に会場に入ろうと、強く言った。

クロアチアに惨敗

10月6日。小雨の降りしきるスタジアムに集ってきたサポーターたちからは、「コソボ」のかけ声は一切聞かれず、アルバニア！ のコールだけが、鼓膜を揺さぶり続ける。その中をヨービッチは黙々と進んでいった。

20時45分キックオフ。試合前にコソボ国歌が流れるが、誰も歌わない。それもそのはずでコソボ国歌には、歌詞がないのだ。これはどの民族の言葉で歌うのか、議論を避けての制定だったと言われている。

試合が始まった。力の差は歴然としていた。マンジュキッチのゴールショーが、開始6分から、幕を開けた。24分、35分と続けてネットを揺らしてたった30分でハットトリックを達成した。

これで試合の大勢は決まってしまった。さらにクロアチアは圧倒的にボールを支配している。コソボは、まるでJリーグ元年のガンバ大阪だった。すなわち、ボールの持てる選手（＝ラシツァ）のドリブル頼みだった。

ハーフタイム以降、試合の行方が決定的になると、スタンドは殺伐とした空気に包まれた。ドローンこそ飛ばなかったが、懸念されたアルバニア国旗が、スタンドのそこかしこで露出していた。

ヴァトレニは手を緩めない。68分にミトロビッチ、83にペリシッチ、ロスタイムにカリニッチが容赦なくスコアをあげて6対0で圧勝した。この段階で後のロシアW杯準優勝チームの片りんを見せつけていた。試合後、敗軍の将への質問は容赦なかった。国旗の持ち込みに関する発言以降、コソボの右派メディアは虎視眈々とブニャーキへの攻撃を狙っていた。

「こんな試合でロシアW杯に行けるとお考えか？ 自分はサッカーには詳しくないが、負けたのに悪びれないあなたのその態度に驚く。敗戦の責任はとらないのか？」

ブニャーキは冷静さを保ちながら、質問に答える。「数カ月前までコソボ代表がかたちもなかったことを思い出して下さい。今回、集まってくれた若い選手を、どうかもっと応援してもらえませんか」

急造チームを率いて強豪クロアチアを相手に戦えば、敗戦は当然予測されたものである。しかし、質問者が自ら打ち明けたように、サッカーを知らない記者が、大アルバニアを否定する発言を続けてきた監督に対する制裁のような問いをぶつけてきた。ミックスゾーンに姿を現したラシッァに対しても、悪意のあふれる質問が浴びせられた。記者はこう言った。「今日は、君が、かつて所属していながらプレーする選択を避けたアルバニア代表が、マケドニアを相手に2対1で勝利しました。これについてどう考えますか？」。21歳の好漢は思わず苦笑した。挑発に乗らずにこう答えるに留めた。「同じアルバニア民族のチームが勝って嬉しいです」。本来、地元紙の記者は生まれたばかりの国家代表チームを叱咤しつつも、根底にはその将来を応援するニュアンスで記事を構築していくものであろう。しかし、コソボの主要紙の記者たちは、むしろアルバニア本国との合併に否定的な監督や記者に冷淡な矢を放ち、批判の材料にしている。この日の会見のテーマはスポーツではなく、政治だった。オシムの言葉を思い出した。「新聞記者は戦争を始めることができる」

それでもサッカーは続く。コソボ代表は翌日、9日の試合のためにシュコダルをあとにして移動を開始した。次の対戦相手はウクライナであった。しかし、国内に親ロシア国として独立を希求するドンバス地方を抱えるウクライナはまだコソボを承認していないため、入国を許可していない。そのために第三国のポーランドでの試合開催となった。プリシュティナ空港で選手団をヨービッチは見届けた。彼はワルシャワへの随行をあきらめていた。

「我々はもう一緒に生きていかなくてはならないのだが、それすら困難なのだろうか」。裏切りと言われても精いっぱいの尽力をしたヨービッチは、しかし、「良い時代は来ると思う」と自分に言い聞かせるようにつぶやいた。

最後のインタビュー

10月9日、コソボは、ウクライナに3対0で敗れた。最終的にコソボ代表は、初の国際大会となったロシアW杯ヨーロッパ予選グループＩにおいて勝ち点1得失点差マイナス21の最下位で終わった。すべてが終わった後、ヴォークリ会長に電話でインタビューを申し込んだ。以下はそのコメントである。

――ＦＩＦＡ加盟を果たしての初めてのワールドカップ予選出場でした。モチベーションは高かったと思うのですが、コソボが惨敗してしまった最大の理由についてどう考えていますか。

「世界を相手にする上での経験の少なさ、管理運営での問題が我々の仕事をより難しくしていた。経験不足という問題もさることながら、我々は強いチームと同じグループにいたということもある。しかし、我々の国のサッカーにとって有意義な経験であったことだけは確かだ」

――セルビア人選手の勧誘は非常に困難な状態が続いているが、多民族チームを作るというフィロソフィーは継続していく方向でしょうか。サポーターの中にはアルバニア人選手以外は必要ないという過激な声もあります。

「代表における選手の選考は強化担当者に一任しているので、私が口を出す性格のものではないが、我々は民族を気にすることなく選ぶ。もちろん、代表チームに参加するための条件はクリアしなければならない。つまり優れたパフォーマンスとコソボ国籍の取得だ。繰り返すが、我々はコソボという国の代表であってアルバニア代表ではない」

――ブニャーキ監督は舵取りの厳しい中で献身的にチームをまとめようとしていました。予選が終了しましたが、今後の代表監督についてはどのように考えていますか。

「ブニャーキはよくやってくれました。しかし、ロシア2018の予選が終了すると同時に、我々は合意の上で協力関係を終了している。彼は我々の代表チームに多大な貢献をしてくれた人物だ。人材さえそろっていれば、大きな結果を出してくれたと思うが、それが残念だった」

言外に在外のコソボの出身選手が、集ってくれなかったことの無念さを伝えている。

グループBを2位で勝ち上がり、プレーオフで北アイルランドを下してロシアへのチケットを手にしたスイスなどは、コソボ出身のアルバニア人選手で成立していると言っても過言ではない。攻撃における二枚看板、ジャカとシャキリがそうである。スイスの「Schweiz am Sonntag」(シュバイツ・ゾンターク)紙は「アルバニア人選手の派閥がスイス代表の調和をダメにする」という見出しを打ち、「代表チームにおける選手たちの溝」について様々な疑問を投げかけている。コソボ国旗をあしらったスニーカーを履くシャキリと生粋のスイス愛国者のリヒトシュタイナーが不仲だと指摘までしている。すなわち「スイス代表はもはやコソボ出身のアルバニア人選手によってハンドリングされている」という論調なのである。同紙はスイスがロシア大会の出場を決めた際、国内のアルバニア人コミュニティが鷲の紋章(アルバニアのアイコン)を振って盛り上がったことや、スイス国歌を歌おうとしないことを批判する一方で「バルカンの選手たちの実力は圧倒的である」と述べ、その力を借りなければ到底、ワールドカップ予選は勝ち抜けなかったと素直に認めている。アルバニア人選手のリーダーがイングランドのワトフォードでプレーするベーラミで、彼はキャプテン以上に発言力があるのだそうだ。ベーラミといえば、オシムジャパンが戦った3大陸トーナメントでＰＫを与えたＤＦとして記憶にあった。

いつの日か、スイスに限らず、在外で暮らす2世、3世がコソボに帰還する時代がくれば、それは欧州列強にとっても脅威になる、旧ユーゴ最後の独立国の躍進はそれしかないでしょうと、ヴォークリに伝えると、最後に会長は愉快そうに笑った。「そうなるとありがたいがね。ロシアW杯は、スイス代表を特に注意して見ることにするよ」

しかし、その観戦は叶わなかった。ヴォークリはロシア大会が開幕する5日前、２０１８年6月9日に急逝した。心臓発作が原因だった。大功労者の突然の死。コソボ協会はロシア大会を直前にして大きな悲しみに包まれた。葬儀には、セルビアサッカー協会からも幹部が訪れて悼んだ。

グラーツでオシムに会った際にヴォークリの死に触れた。「惜しい人でした。悲しいですね」と嘆くと、彼はこんなことを言った。「死は避けては通れない人生の一部なのだから、悲しいとか、淋しいとかという感情は違うのではないか」。コソボの民族融和に貢献したヴォークリを、感情的にならずに鎮かに送ってやるのだというメッセージだった。そのオシムも今はもういない。

ロシア大会　スイス対セルビア戦

ヴォークリが無念にもそれを見ることなく逝ったワールドカップロシア大会で事件が起きた。２０１８年６月22日、カリーニングラードで行われたスイス対セルビアの試合である。ゲームは前半セルビアがセットプレーで先制したが、後半にスイスが攻勢に出る。７分にＭＦジャカがミドルシュートを突き刺し、45分にはＦＷシャキリがカウンターで抜け出して逆転弾を決めた。問題はこのコソボ出身のアルバニア人２世の二人がゴールのあとに行った行為である。両掌を胸の前で交差させてパタパタと扇ぐジェスチャー。それはアルバニア国旗にある双頭の鷲を示すもので、アルバニアナショナリズムを象徴するポーズだった。ジャカはさらに、自身のインスタグラムにこのポーズの写真と「セルビアは好きじゃない。僕はコソボのことを考えている」というコメントを載せている（後に削除）。

対して試合後にセルビアの代表監督クルスタイッチが言ったコメントが以下のものである。「勝利を盗まれた。私なら、主審にイエローカードを出さずにその代わり、オランダのハーグに送り、ＩＣＴＹ（旧ユーゴ国際戦犯法廷）の裁判にかける。我々（セルビア人）がそうさせられたように」。ＦＩＦＡの規律委員会の調査の結果、当該２選手に対して出場停止処分は下されず、罰金のみ（一人当たり１万スイスフラン≒１１１万円）が命じられた。セルビア側にも、監督などの発言について同様に罰金が科せられたので、どっちもどっちという印象を周囲には与えている。

ＦＩＦＡからの調査を受けたジャカとシャキリはパフォーマンスの理由を「興奮しただけ」「両親がルーツを持つ故郷の人々のためだ。相手への関心はなかった」と語り、これが大きく報道された。日本でもこの論調の解説報道が続いた。朝日新聞は６月23日に「憶測呼ぶ『ワシ』ポーズ、秘めた思い

©ロイター／アフロ

©AP／アフロ

2018年、ロシアＷ杯のセルビア対スイス戦でゴールをあげたジャカ（右）とシャキリ（左）。二人とも、鷲が羽ばたくポーズを手であらわした。

は「スイス２選手」というタイトルの記事を公開した。４年前にシャキリとジャカにインタビューした記者によるもので、スイスで移民として暮らすことの苦労話がとうとうと綴られ、「かつてシャカ（本文ママ）は『スポーツと政治は切り離すべきだ』ときっぱり話していた。セルビア戦で見せたあのポーズは、国際サッカー連盟（ＦＩＦＡ）が禁じる政治的宣伝だった、とは思えない。故郷はいつだって、誰にとっても特別だ。たとえ住んでいなくとも、故郷に認めてもらいたい――。そんな心の叫びだったのではないだろうか」と締めくくられている。

情が深く真面目な記者なのであろう。自身の体験から二人の選手への憐憫の情を見せている。しかし、コソボ建国の歴史とセルビアとの相関関係、アルバニアとの合併を主張する２０１８年現在の国内の状況や代表チームの成立過程を少しでも知っていれば、とてもではないが、「２人のパフォーマンスが政治的宣伝ではなかった」とは書けないはずである。

東京新聞７月３日付には国際ＮＧＯの代表者が「『カズダンス』に似た表現で政治的ではない」と主張している。

あくまでも移民のアイデンティティの発露という文脈であり、駐日コソボ大使館もこの発言をリツイートして拡散している。しかし、ジャカもシャキリもセルビア戦以外ではこのポーズをとっていない。なぜセルビア相手にだけ行ったのか？　コソボ独立を認めていないから。バルカン半島出身のサッカー選手ならば、14年10月14日の欧州選手権予選、セルビア対アルバニアの試合に何が起こったのかを知らないはずがない。この試合の最中に大アルバニアの地図をぶら下げてドローンが飛来したことは、冒頭で記した。大アルバニア主義はコソボ独立ではなく、他国への侵略行為であり、鷲のポーズはセルビア戦において最も自重すべき行為である。これのいったいどこがカズダンスなのか？　セルビアの選手が、ゴールのあとに民族の象徴である3本指（セルビア正教は父と子と聖霊を示すこの3本指で十字を切る）のサインをアルバニア系選手に示したとしたら、それも「カズダンス」と言うのだろうか。そもそもカズダンスに民族的な意匠の意味はない。問題はW杯というサッカーの大会で、領土問題でいまだに対立が続くセルビア代表の前であのジェスチャーをしたことなのだ。民族的な挑発行為はセクハラ、パワハラと同様で、被害を受けた側がどう捉えるかが肝要だ。

W杯予選におけるヴォークリとブニャーキの奮闘が自然に思い出された。「コソボ代表はアルバニア人だけのものではない」と言うヴォークリと「民族主義では、質の高いチームは作れない」と発言したブニャーキ。国営放送の会長までが、テロに晒されていた中、彼らもメディアやサポーターから、バッシングを受けながら、この理念を曲げることはなかった。私は、ブニャーキが目の前でジャカとシャキリにコソボ代表への転籍を電話で要請しているのを見ていた。しかし、彼らはこの申し出を断っている。

コソボ代表はチームとしてもまだ脆弱である。環境も整っていてW杯出場にはるかに近いスイス代表を二人が選択したのはもちろん何も悪いことではないし、選手としては賢明な判断とも言えよう。それは尊重されるべきである。しかし、ならば、彼らはスイス代表としてピッチに立っていたはずである。鷲のポーズをセルビア代表の前でするべきではない（もちろんコソボ代表であってもだが）。スイス国民党の政治家もこれについては、代表選手としてあるまじき行為として批判をしている。もしもあの鷲のポーズが、コソボ代表を選択しなかったことに対する故郷への釈明、踏み絵の実行のようなものであったとしたら、極めて残念である。真の民族愛、同胞愛とは、遺恨のあった民族を攻撃することではないはずだ。むしろ二人は、苦闘するコソボ協会のことを何も分かっていないと言えよう。亡きヴォークリと退任したブニャーキが必死に守ろうとしたものを、愚かな扇動によって崩しかねない。ましてやそこにコソボ大使館員、日本の記者やＮＧＯ職員が加担してどうする。

報道はなおも続いた。「朝日新聞Ｇｌｏｂｅ＋」（6月27日）の「ロシアW杯『双頭の鷲』の背景は、こんなに深い」では、記事後半においてバランスを取るように「コソボ紛争も、セルビアを悪者扱いしてすべて片付くものではありません」と記しているが、W杯の試合において、鷲のポーズを肯定することが、まさにその「セルビア悪玉論」の導入にされることにつながるのだ。

千葉大学の岩田昌征名誉教授は訳著書『ハーグ国際法廷のミステリー』（ドゥシコ・タディチ著、社会評論社、２０１３年）の中でこう書いている。「今日の在特会の『ヘイトスピーチ』が下品なそれであるとすれば、世紀末90年代における中道リベラル市民や左派リベラル市民による大量かつ一方的かつ感情的なセルビア難詰は上品かつ崇高なカテゴリーを駆使した『ヘイトスピーチ』もどきであった」

ＮＡＴＯ空爆によってコソボの行政からセルビア人が追われて、すでに19年が経過している。そこで被支配、被差別の立場に置かれてきたのは、非アルバニア人の少数者の側である。コソボで安易にマジョリティの声だけを拾い、19年前の構図に相変わらず押し込めるだけ、そんな報道やNGOの発信が続けば、彼の地の民族融和はますます遠のいてしまう。失点後にあのポーズを見せつけられ、それでも堪えて挑発に乗らなかったセルビア人選手になぜフォーカスをあてないのか。

ジャカとシャキリに対してFIFAの処分が下された後、アルバニアのラマ首相が二人の行為を支持することを表明し、罰金をカバーするための募金の口座まで作った。愚かである。FIFAがペナルティを科したにもかかわらず、本国（アルバニア）の首相がスイス代表の選手の政治的パフォーマンスを英雄視し、ナショナリズムを内向きに利用する。これは若い世代の選手に向けてヘイトジェスチャーを扇動していることに他ならず、再発が心配される。ラマ首相はコソボの代表は、サッカーのスキルに関係なくアルバニア人だけで11人揃えろと言い出すのだろうか。ヴォークリの遺志を外国の政治家が踏みにじっているということだ。

4―2019年6月NATO空爆祝賀式典

空爆を祝う

2019年6月。NATO空爆から、20周年を迎え、プリシュティナでビル・クリントンとマデレーン・オルブライトを招待した祝賀式典が行われるという。空爆を主導した米国大統領と国務長官が来賓として招かれるのだ。繰り返すが、これはコソボ共和国の独立を祝う式典ではない。空爆という軍事介入を祝う式典である。コソボ政府が英語でリリースした文面は「In honour of marking of the 20th Anniversary of Deployment of NATO Troops in Kosovo」。悲しいことに、多くの民間人が犠牲になった武力行為を奉賀している。

東京大空襲を敢行し、広島・長崎に原水爆を落とした米国も「戦争終結を早めた」「アジアの解放のため」などの言い訳はするものの、3月10日や8月6日、9日に祝賀式典は行わない。それと比較すれば、現在のコソボでは、人道的な視点による検証を米国とKLA政府による政治が覆い隠してしまっている。またそのような指摘をするマスメディアも皆無であった。現在に至り、国際報道の世界においてさえ、ユーゴスラビア空爆は「やむなし」と看過され、下手をすれば「祝うべき」慶事であるという認識が流通してしまっている。

米国が「和平調停」をお題目に、国連決議を待たずに軍事介入する例は、アフガニスタンやイラクよりこの１９９９年のユーゴ空爆が先であるが、この二国に比べてほとんど注視されていない。

クラスター爆弾と劣化ウラン弾にさらされた町 ニシュ

空爆20周年記念式典の取材は、当時の傷跡と現状のルポ、双方を交えなければ、ただの政治ショーの紹介に堕してしまう。いつものようにニシュに入った。このストイコビッチがキャリアを始めた町に、クラスター爆弾が投下されていたことはあまり知られていない。クラスター爆弾は、別名集束爆弾とも呼ばれており、大量の子弾を内包する親弾が空中で爆発すると、散弾して広範囲を破壊・殺傷する。かつてはベトナム戦争で米軍が用いて猛威を振るった兵器である。着弾後も実に約４割の不発弾が残り、それに触れた子どもを含む非戦闘員が殺傷されることから、早い段階から非人道性が指摘されており、08年以降はオスロ条約によって製造、使用等が全面的に禁止されている。

ユーゴ（当時）でも当然ながら悲劇は起きた。ユーゴ軍技術者のブラニスラブ・カペタノビッチ（当時35歳）は、空爆終結から約1年半が経過した２０００年11月にニシュから30キロほど離れたクラリエボで地雷の回収処理をしていて不発弾に全身を抉られた。一時は心肺停止状態となり、20回以上の手術を受けて命は助かったものの、両手両足を切断、片目は失明、左耳の機能も失っている。それでもカペタノビッチは、リハビリに励み社会復帰を果たすと、クラスター爆弾の禁止を目指すＮＧＯ「クラスター兵器連合」のスポークスマンとしての活動を開始する。

彼は２００８年4月に来日を果たし、当時クラスター爆弾の全面禁止条約への参加態度を保留していた日本政府に対して、「条約制定にぜひ参加して欲しい」と訴えた。日本政府はこの爆弾を保有しており、「抑止力として防御的に使うことは評価されるべき」と保持の継続を主張していたが、カペタノビッチは、「爆弾に良いも悪いもない。使用すれば民間人が傷つくので抑止どころか、被害は増える」と一刀両断にした。日本滞在中はクラスター禁止シンポジウムに出席し、衆参両院議長への訪問や記者会見など、精力的に活動し、名古屋ではグランパスのストイコビッチ監督（当時）とも面談した。ピクシーもまた「この爆弾で最も被害に遭うのは、子どもたちだ」と廃絶を訴えた。

日本政府はようやく09年7月にオスロ条約に署名して、15年にクラスター爆弾の廃棄を完了した。ただしアメリカ、中国、ロシアなどは条約を締結せず、現在も保有している。今、コソボでNATO空爆の祝賀式典が行われることを知ったカペタノビッチは、どんな気持ちでいるだろうか。

ニシュのシュマトバチカ通りに立つと、かつてガレキの山となっていた地域はすでに整備されていて、20年前にここを救急車が走り回り、遺体が多く積み上げられていたとは、想像し難い。しかし、紛れもなく、この通りにも多くのクラスター爆弾が着弾していたのだ。それだけではなく、あの空爆では、内部被ばくによる健康被害が報告されている劣化ウラン弾も多数撃ち込まれている。果たして回収はどこまで進んだのか。宿泊したアパートのオーナーは言った。「すぐそこに撃ち込まれたクラスター爆弾や劣化ウラン弾のことは、もう誰も言わないし、聞かれもしない。世界からはなかったことにされている。20年が経って、我々ももう忘れるしかないな」

「俺たちは数字ではない」

翌日、ニシュからバスに乗ってさらに南に下った。入ったのは、コソボとの国境近く、セルビア南部の都市ブヤノバツである。この町は人口の約6割がアルバニア人、4割がセルビア人。セルビア国内でありながら、人口比率は逆転している。それを理由に今、コソボ内でセルビア人が多数派を占める北ミトロビッツァのエンクレイブと、このブヤノバツの領土交換というアイデアを米国政府が推奨している。セルビアとコソボの間でもし領土交換が実現したら、それぞれの住民はパスポートや国籍を変更しなければならない。人口比だけを根拠に、国境線さえ変えれば問題は解決すると考えているとは何と安直なことか。

カフェでくつろいでいたブヤノバツ生まれのセルビア人、ミオミル・ストイリコビッチにこの領土交換のアイデアをどう思うか聞いた。

「ここに生まれて、51年ずっと暮らしている。家も仕事もあれば、養うべき家族もある。領土が交換されたら、国籍を変えなければならない。だからと言ってミトロビッツァには一度も行ったこともない。アメリカに分かって欲しいのは、俺たちは統計の中の数字ではないということ。俺たちは人間なのだ」

アルバニア人で、テレビ・ネットメディア「バルカン・アルジャジーラ」の記者をしているアゴン・イスラーミもまた、同様の考えを示した。

「ブヤノバツに生まれ育ったアルバニア人として言うが、ここに住むセルビア人との対立は一度もなかった。数はアルバニア人が多いが、セルビア人とアルバニア人、そしてロマが共存している町だ。私のアイデンティティ？　私はコソボでもアルバニア本国でもなく、セルビアのパスポートを持つ誇り高い『セルビア・ブヤノバツのアルバニア人』だ」

イスラーミは、領土交換よりも、セルビアとコソボの和解交渉自体が進んでいない状況にしびれを切らしている。

「空爆から20年経っているが、対立は凍結したままだ。よくあること、『コソボあるある』を教えようか？　北ミトロビッツァのセルビア人のところにコソボ警察が来て、何か嫌な思いをさせられたとする。するとここブヤノバツのアルバニア人のもとにセルビア警察がやって来て嫌がらせをするのだ。二つの領土を交換すれば、こんなことはなくなるというのが建前らしいが、それではまるで私たちは領土交換のための人質のようなものだな」

イスラーミも当然、領土交換など、現地の生活を知らない馬鹿げたアイデアだと考えている。

「ただ、和解は絶対に必要だ。コソボ問題の解決なくしてはセルビアはＥＵに入れないし、コソボも国連に入れない。このままでは、セルビアもコソボも経済が改善しない。今ここの国営工場は全部倒産している。意地を張り合うよりも生きていくための経済のことを考えないといけないのに、悲しいかなそれよりもナショナリストが大きな力を持ってしまう。どう会社や市場を立て直すかよりも民族万歳！　が受ける。コソボで冷静に真剣にセルビアとの交渉を考えているのは、ハシム・タチだけだ」。「黄色い家」に加担した極右のタチが冷静な政治家との評価をされるとは。

２０１８年11月、コソボ政府はインターポール（国際刑事警察機構、ＩＣＰＯ）に加盟できなかったのは、セルビア政府の妨害によるとして、セルビアからの輸入品に対して１００％の関税をかけることを発表した。イスラーミの言う「具体性がない」閣僚である首相のラムシュ・ハラディナイ（当時）は「これはセルビアへの報復措置だ」と公言。市民生活にとっては、隣国から入ってくる商品が大高騰するわけだが、むしろ快哉を叫ぶアルバニア人が多かった。さすがにＥＵのフェデリカ・モゲリーニ外相（当時）もこの措置には「ＥＵの自由貿易協定を明らかに妨害している」と非難している。私とばったりレストラン・ティファニーで会ったハラディナイ首相は、何度もＩＣＴＹに戦争犯罪で訴追され、その度、不起訴にされていたが、２０１９年になって捕虜の臓器を密売したという容疑によって、再度召喚を受けた（これを受けて7月19日に首相を辞任）。

唯一、セルビアとの交渉を真剣に考えているという大統領のタチにしても、ＫＬＡ出身である。その点はどう考えるのか。

「ルゴバが政権を取っていたら、コソボ問題は変わっていただろう。セルビアの方も（穏健派の）ゾラン・ジンジッチが生きていたらと思う」

タチも関与したと言われる「黄色い家」事件をアルバニア人の側から検証するような動きはないのか、と聞くと、シリアスな表情に変わった。

「それについては具体的な情報は持っていない。ただし、戦争犯罪があったらどんな民族でも平等に罰せられなくてはいけない」

民族の平等という点では、イスラーミはセルビアでアルバニア語の公的教育が全く行われていないことに焦れていた。

「少数民族の権利はコソボでもセルビアでも互いに保証されないといけない。それなのに、ブヤノバツにはアルバニア語の教科書さえないんだ」

目に力を入れて決意するように言った。「今年解決しなかったら、私もこの町を捨てる」

20年が経過しても何も変わっていない現状から、住む町は愛していてもその焦りを隠そうとしない。

セルビアとコソボのボーダー地域

19年6月10日。この日はセルビア南部、コソボとの国境近くの都市であるブヤノバツの市役所で、シャイップ・カンベーリ市長にインタビューすることになっていた。カンベーリ市長は自らが首長を務めるブヤノバツを含むセルビア南部の3つの都市（プレシェボ、メドベジャ、ブヤノバツ）をコソボに編入させるべきだと、かねてより公言していたアルバニア系の政治家である。彼の主張は、国境線変更である。この考えは、セルビアのみならず北マケドニアやギリシャなど、周辺諸国にとっては脅威とも言える。

アポイントの時間まであと1時間となったところで、連絡が入った。「申し訳ないが、今日の取材を延期させて欲しい」と言う。

急な変更だった。「どうしたんです？」

「今からコソボのプリズレンに行かなくてはならなくなった。先方の市長に招かれたのだ」。コソボ南部の都市、プリズレン市主催のイベントに急遽出席が決まったというのだ。

（セルビアからプリズレンに向かうのか）

コソボサッカー協会副会長のヨービッチが、対クロアチア戦でシュコダルへ向かう途中、畏怖の表情を決して崩さなかった町である。プリズレンの歴史は古く、14世紀にはセルビア王国の宮廷が置かれていた。そこにオスマントルコが侵攻し、セルビア人は追われてムスリムが支配する町となった。やがて19世紀にはアルバニア人が流入して、コソボにおけるアルバニア文化の中心地となっていった。アルバニア民族主義が盛り上がると、１８７８年にはこの地でオスマントルコの支配からのアルバニア民族独立を提唱するプリズレン同盟が結成された。言うなれば、バルカン地域のアルバニア独立運動を束ねた都市である。その磁力が１４１年経った２０１９年現在、セルビア南部のブヤノバツにまで及んでいるのだ。

果たしてセルビアのブヤノバツの市長が、国境をまたいで隣国コソボのプリズレンに急遽、招かれるとは、どんな意味があるのか。

「今日は、そんなわけで時間が取れないが、明日ならばプリシュティナに行って取材に応じよう。市の車を手配するから、ブヤノバツからはそれに乗って来てくれればいい」と心なしか、高揚した口調でカンベーリ市長は言った。プリズレンでのイベントについても聞きたいので、それを終えてから取材できる方がむしろありがたい。プリシュティナへの移動もバス代が浮いた。

プリシュティナの発展と、サッカーコソボ代表の躍進

ブヤノバツ（セルビア）からプリシュティナ（コソボ）まで、途中の入国審査を通過して、車で約2時間。この日はホテルＡＦＡに投宿した。ＡＰＡは嫌いだが、ＡＦＡは好きだ。トビャルラーニのピザ屋がこの近くにあるのだ。

夕食をとりに入ったレストランでは、テレビモニターの前に人が群がっていた。6月10日は、サッカー欧州選手権の予選が行われる日で、コソボ代表はブルガリアとアウェイで戦っている。ユーロ2020の予選が始まっていた。コソボはイングランド、チェコ、ブルガリア、モンテネグロと席を同じくするグループＡで、すでにホームでブルガリア相手に引き分けていた。ＦＩＦＡ加盟後にはじめて臨んだロシアＷ杯の予選では、0勝1分9敗、最下位という結果に終わっていただけに、初戦から同じバルカン半島の古豪相手に勝ち点1をむしりとったのは、幸先の良い出足であった。6月7日には、サビチェビッチが会長を務めるモンテネグロとの試合が行われていたが、ここではまた大きな問題が起こっていた。モンテネグロ代表監督のトゥンバコビッチはパルチザン・ベオグラードなどを率

いたセルビア人の名将であるが、彼が試合直前にセルビアサッカー協会からの圧力でこの試合の指揮を断念し、監督を辞任してしまったのである。セルビアはコソボの独立を認めていないが、代表戦をするということは、自動承認に繋がり、セルビア協会としては許せないというわけである。

このときのセルビア協会からの激しい圧力は徹底していた。クラブではセルビアのレッドスターでプレーするモンテネグロ代表のＭＦとＤＦも出場を拒否せざるをえなくなった。すでにコソボはＦＩＦＡに加盟して3年が経過している。この件は、監督や選手に圧をかけた点も含めてセルビア協会側があまりに狭量であった。試合は１対１で、コソボもモンテネグロも互いに勝ち点を１ずつ獲得したが、非常に後味の悪い試合になってしまった。

不穏な空気がコソボチーム内に流れているのではないか。そんな懸念もしていた。ところが、この小さなパブリックビューイング会場に映し出される11人は序盤から落ち着いていた。フィテッセ時代に太田宏介と仲が良かったラシツァは、ヴェルダー・ブレーメンに移籍していた。そのラシツァが、前半14分に先制点を決めた。後半に入り、ブルガリアに逆転を許すが、ここから粘り、ムリキが64分に同点ゴールを入れると、勢いのままにロスタイムにＦＷラシャニが決勝弾を叩き込んだ。３対２。コソボ代表の歴史的公式戦初勝利の瞬間であった。

今、酔わなくてどうする？　という感じで急ピッチでビールを煽るレストランのサポーターたちは新監督の手腕を称えて止まない。「シャランデスは大したやつだ。彼がチームを勝たせてくれた」。18年3月にブニャーキのあとを継いで就任したスイス人指揮官ベルナール・シャランデスはヤングボーイズやアルメニア代表を指導した豊富な経験を誇る。

私は、ビリィビリィ・ソコリに連絡を取った。かつて、アメリカW杯ベスト４に輝いたブルガリアを相手にしての初勝利の感慨を聞いてみたかった。

「嬉しくないはずがないだろう」。声は弾んでいた。ただ大事なことは、と続けた。亡きヴォークリがこだわったリクルートに関することだった。「コソボ代表にはアルバニア人以外のどの民族にも門戸が開かれているということだ。スレイマーニ（ヤングボーイズ）はゴラン人だし、ドュライはセルビア人とのダブル。私だっていつかコソボ代表にセルビア人選手が入ってくれることを願っている」

現在の代表について聞いた。「ラフマーニはFKプリシュティナにいた頃、私が直接指導もした。ラシツァもムリーチもコソボリーグの劣悪な環境の中でやっていた。この3人に共通しているのは、苦しい状況で揉まれたことがあってそれを乗り越えて海外に渡ったということだ」。トゥンバコビッチが辞任を余儀なくされたモンテネグロ戦についてはどう思うか。

「トゥンバが優秀な監督であることは間違いない。しかし、今回の判断は非常に残念だ。すでに予選は始まっているわけだし、監督が政治によって急に変わってしまえば、モンテネグロの選手も混乱する。それに……」。少し間を置いて「出自を隠しているが、トゥンバは父親がアルバニア民族なのだ」。真偽のほどは分からない。しかし、血が混ざりあっているバルカン半島では誰が何民族なのかは明確には分からないのも事実だ。そもそもがユーゴスラビア時代は民族は自己申告制になっていた。問題はその民族で敵と味方に分けられてしまうことだ。

祝福を伝えにトビャルラーニの店に出かけた。おめでとうと言ったあとに、少々、意地の悪いことを聞いてみた。

「自身のキャリアがあと前後10年ずれていたら、どうなっていたと思う?」

ピザ屋の10番は快活に笑った。

「"神の御意志" というヤツさ。ユーゴスラビアのU-19でもプレーすることができたが、その後の運命は君もご存知の通りだ。そう、ここでピザも焼き続けた（笑）。もし生まれるのが10年早かったら、ユーゴ代表だったし、10年遅かったらコソボ代表で活躍できたかもしれない。そして20年遅かったらレジェンドとしてもてはやされたかもしれないな（笑）。でも私は自分に与えられた運命に満足している。後悔など全くない」

クリントン、オルブライトのコソボ訪問をどう思っているのか、と問うとシンプルに回答が返ってきた。

「私たちは彼らに大きな借りがある。彼らの決定がなかったならば、どうなっていたかわからない。更に多くの人々が死んでいたかもしれないし、その中に私や私の愛する家族が含まれていたとしても全く不思議ではない。彼らが歓迎されるのは当然のことで、これからも永遠に歓迎されることだろう」

トビャルラーニのような大アルバニアを否定し、アルバニア系コソボ人を自称する人物でもやはり空爆は慶事なのだ。ここに大きな分断の溝を見る。

「アメリカを愛するようにアルバニアも愛せ！」

翌11日、セルビア南部ブヤノバツ市のカンベーリ市長は精悍な顔つきで現れた。54歳、政治家としてまさに働き盛りだ。取材が延期になった理由である前日のイベントについて聞いた。

「1878年に開かれたプリズレン同盟を記念した式典があるので出席して欲しいという電話が、プリズレンのムタヘル・ハスクーカ市長からあったのだよ」。やはり、プリズレン同盟に関するものであった。ハスクーカ市長はアルバニア「本国」とコソボの合併を公約に掲げる政党、「自己決定運動党」

に所属する政治家である。ここから歴史の講釈に入った。

「コソボはかつてオスマン帝国の支配下にあった。我々の先祖はその頃、オスマン帝国に対して自治権を求めていて、1878年にプリズレンで会議を開いた。そこでアルバニア民族独立を要求するプリズレン同盟が結ばれ、やがて1912年に現在のアルバニアとして独立した。端緒となるこの会議が開かれたのが6月10日なので、それを記念しての式典だ。昨年は140周年を記念してコソボ政府が主催したが、今年はセルビアのプリズレン市が主催した」

そうか、6月10日にはそういう意味があったのか。それにしても、アルバニア民族が国をまたいで集結するということは、やはり大アルバニアに向けての意思表示ではないのか。

この問いにカンベーリは歴史復古を根拠に回答する。「私から言えば、それは大アルバニア主義ではない。1913年にわが民族はマケドニア、コソボ、セルビア、モンテネグロ、アルバニアという5つの国に分割された。それを再度、集めようという極めて自然な統合だ」

コソボとの国境近くのブヤノバツ市のカンベーリ市長。「アメリカを愛するようにアルバニアも愛せ」

そうすると、歴史をどこの段階で区切って国境線を引くのかという議論になる。かつてこのバルカン半島には、巨大な領土を誇ったオスマントルコもブルガリア帝国も存在したのだから。

市長自身のブヤノバツ市についての考えは？　と問うた。「私の考えは国際法の基本原則と同じだ。コソボにおけるセルビア人と同じ権利を求めている。しかし、もしも国際社会が北ミトロビッツァをセルビアとして認めるようなことが起こるならば、我々アルバニア民族にも、セルビア南部のプレシェボ、メドベジャ、ブヤノバツの3都市をコソボ領土に編入するよう求める権利があるはずだ。ベオグラードにもプリシュティナにもそう主張をし続けている」

しかしながら、それ以前に肝心のコソボの国際的な地位が確固としてはいない。２０１９年現在のヨーロッパにはコソボを国家として認めていない主要な国が5つもある。スペイン、スロバキア、ルーマニア、キプロス、ギリシャだ。

「まずは、これらの国に国家承認させることが何より先決だ」

「コソボからイスラム国（ＩＳＩＬ）へ向かうアルバニア人兵士についてどう見ているのか？」

カンベーリは瞬間、顔色を曇らせたが、真摯に問いに向き合った。その実態を自らも調査し、報告も受けたという。「イスラム国（ＩＳＩＬ）には、実はわがブヤノバツ市からも3人参戦している」。

驚いた。コソボだけではなく、セルビア南部のアルバニア人もイスラム国（ＩＳＩＬ）に向かっていたとは。

「イスラム国（ＩＳＩＬ）への組織的な派兵の動きがあるわけではない。個人が勝手に向かってしまうのだ。そこに宗教は関係ない。問題はこの地域の社会保障が乏しい点にある。生活苦からシリアに向かって戦闘員になるのだ。アメリカを愛する我々アルバニア人からすれば、残念なことだ」

「明日プリシュティナで行われる式典の意味は？」と問うた。即答された。

「国際社会の代表のひとつがＮＡＴＯだ。その機関が我々を認め、私たちアルバニア人を絶滅から救ってくれた。それに感謝するための大きな式典だ。我々はアメリカに借りがある。そしてアメリカを愛している。今、コソボの愛国教育の中でこんな諺があるのを知っているか？『アメリカを愛するようにアルバニアも愛そう』」

祖国よりも同胞よりも先にアメリカがくることを悪びれない。政府、民心ともに世界で一番の親米国ということを認めている。

「式典にはもちろん参加して祝賀する」

アルバニア人としての属性から、本国の建国記念日（11月28日）を奉賀する、あるいはコソボ独立に私的に祝電を送る、これらの行為はあってもおかしくはない。しかし、民間人も大量に殺された空爆の被害国セルビア内の自治体首長であるブヤノバツ市長が、それを祝う20周年式典に参加する。そのことに、いまだコソボを取り巻く不安と複雑さを感ぜずにはいられない。

「父はラチャクで殺されました」イスラム国への流出を追う記者

カンベーリ市長に別れを告げると、プリシュティナ市内にある日刊紙「ゼーリ」の編集部を訪れた。ゼーリにはISILに渡る人々の問題を追っている女性記者がいるのだ。記者の名はエミーラ・スキラーチャといった。若い。1995年生まれの24歳である。出身と両親の仕事を尋ねると、「私はシュトゥデームという村の出身です。父はいません。『ラチャク村の虐殺』で犠牲になったのです」と答えた。

「ラチャク村の虐殺」とは、1999年1月、プリシュティナ郊外ラチャク村でアルバニア系住民約40

プリシュティナの日刊紙「ゼーリ」のエミーラ・スキラーチャ記者

人がセルビア兵によって殺害されたという事件である。当時、私はその虐殺遺体が放置された現場に入って取材をしていたが、遺族に会うのは初めてである。あのときの情景が脳裏に浮かんだ。寒気が襲うジャミア（イスラム寺院）の床に老若男女、45体の軀が並んでおり、銃口を首筋に当てて引き金を引かれた処刑の跡が確認された。防弾チョッキを着こんでの取材であったが、ジャミアを狙った迫撃砲の射撃が始まり、必死で逃げた。あらためて20年の月日の経過を思い知らされた。そのときの犠牲者の遺子が、今、目の前にいるのだ。

「父親がラチャクで殺されたのは、私が3歳のときですね。ですから父の記憶はおぼろげです。その後に空爆が始まり、母親と北マケドニアのゴスティバルに避難していました」

終結後、故郷に戻り、ジャーナリストを志して大学で新聞学を専攻し、現在はゼーリ紙で仕事をしているという。「あなたが追っている、コソボからＩＳＩＬへ多くのアルバニア人が流出している現象について伺いたい」と問うた。

意志をもって記者を選んだだけあって、エミーラの取材と報告は緻密だった。

「２０１９年4月、コソボ政府の法務大臣から、たくさんの人がシリアから戻ってくるという発表がありました。それはつまりＩＳＩＬにいた人たちです。32人の女性、74人の子ども、４人の戦闘員が帰国したのです」

意表を突かれた。兵士だけではなく、家族ごとイスラム国に移住をしていたとは。それは皆、あのマハジェリの故郷、カチャニックの出身者なのだろうか、と訊くと否定された。コソボ全土においてイスラム国のリクルーターが活動しているのだという。

「イスラム国へ渡るプロセスは2通りあります。一つは、イマーム（指導者）を名乗るリクルーターがコソボに入り込み、モスクで『イスラム国の闘いは我々にとってのジハード（聖戦）だ』と洗脳し、戦闘員にするというものです。現地へは、コソボのパスポートがあればノービザで行けるトルコに入り、イスタンブール経由でシリアに入国するというルートです。この洗脳型リクルートが最も激しかったのが、2015年から16年でした。それ以降はコソボ当局も取締りを厳しくしたのです。

これとは別に、自分たちの意思でシリアに渡った家族もいるのです。理由は教育の不足と貧困です。コソボ全体の平均月収が400ユーロ（約4万8000円、1ユーロ≒120円）。失業率は3割。彼らはもう、ジハード以前にお金をもらえるということでシリアに向かうのです。マハジェリもどちらかと言えばこのタイプでした」

なるほど、ならば、マハジェリにとってはボンドスティール米軍基地で働くことも、そこから飛び立ってきた米軍機に向けて、ISILの戦闘員として迎撃砲で攻撃をしかけることも何ら矛盾はしていない。要は稼ぐためである。エミーラは続ける。「しかし、当然ながら全員がマハジェリではありません。それぞれ現地に着いてから、これはテロに加担することになると知って帰国を望み、逃げ出した人々もいます」

エミーラの取材によれば、それは厳しい逃避行であった。

「シリアを脱出するために陸路でトルコに向かうのですが、途中で捕まって鞭打ちの刑になった女性もいます。4月にコソボに帰ってきた女性も、多くが肩に鞭の傷を負っていました。コソボ政府はアメリカの手前、戦闘員の4人を帰国させるとすぐに逮捕して刑務所に入れました。懲役9年です。子どもたちは裁きの対象にならず、女性は外出禁止令を出されています。彼らをシリアに送り込んだイマームはほとんどが逮捕されました。逮捕者は約200人。ISILからこれだけのリクルーターが入り込んでいたというのは驚くべきことです」

エミーラはシリアから帰国後、家にこもっている女性をひとりひとり訪ね歩いたという。何も話したくはないという取材拒否が多かった。ここでエミーラのジャーナリスト魂が燃え立った。何度も足を運んで信頼をかちえて肉声を引き出したのである。

「ある戦闘員の妻は言いました。『私たちは騙されていた。夫からトルコに休暇に行こうと言われて、実はシリアに連れていかれたのです。シリアで生活していた他のアルバニア人女性にも会いましたが、彼女たちも騙されていました。私たちの時間を返して欲しい』と」

現地で妊娠し、シリアで子どもを産んだ女性もいる。女性はこういうときにいつも二重、三重の被害者になるのです、とエミーラは目を伏せた。「彼女たちはシリアに来た米軍に助けられて、再びトルコ経由で帰って来ました」

コソボ当局の情報によれば、戦闘員とその家族、約３００人のコソボ出身者がＩＳＩＬに合流し、このうち79人が戦闘もしくは粛清で殺されている。死者の内訳は76人が男性で3人が女性。また、彼らがシリアにいた間に約60人のコソボ国籍の子どもが生まれている。

これらの事実をエミーラは「シリアの闘いで見た大きな欺瞞」というタイトルで２０１９年5月20日付ゼーリ紙で記事にした。読者の反響はすさまじかった。

「アメリカは私たちにとっての大英雄ですからね。ほとんどすべてのコソボのアルバニア人はそこに敵対する勢力は嫌うんですよ。だから貧困のためにイスラム国に向かった人々がいたことは、市民にとっては大きなショックでした」

３歳で父がジェノサイドの犠牲になり、４歳で自身が難民となり、そして今、記者となって祖国を

（左）アルバニア国旗の双頭の鷲とアメリカ国旗、そしてクリントン元大統領をあしらったコソボ空爆祝賀のポスター。（右）ダイヤモンドホテルで遭遇したクリントン。笑顔で撮影に応じていた。

襲う混乱を最前線で取材している。彼女の人生に思いを馳せると胸が詰まる。それでもエミーラの表情やまなざしには、幾分の憎悪や暗さも感じられない。ただファクトを伝えたいという冷静さと、対象に向ける熱が伝わってくるだけだ。「自分がどこにいるのかを確認するためにもジャーナリズムに携わっていきたい」と言う。

伝えようか迷ったが、「私はあなたのお父さんのご遺体をラチャク村で見ていると思うのです」。エミーラは、少しだけ、驚いた表情をした。「殺された父の事件は成人しても受け入れられない部分はあります。コソボの独立は嬉しいこと。しかし、コソボのアルバニア人はコソボのセルビア人と共に生きていくことが、命題であるとも思うのです。だから私の記事も、マジョリティであるアルバニアの民族主義におもねるようなことはしない」

アルバニア・ナショナリズムが目立つコソボでも、かような若い記者が育っているのもまた事実である。

ゼーリ紙編集部を出て、はて、今回の式典の主役の一人であるクリントンが、プリシュティナのどこに泊まっているのか、考えてみた。当たりをつけたのは、ダイヤモンドホテルだった。かつてここには、イリリアというドミトリーの安宿があり、イタリア軍が駐留していた。それが今では、西側の資本によって超高級ホテルに建て変えられている。入り口のカフェで張っていると、突然SPの集団に先導されて見覚えのある白髪の男が出てきた。

「おい、ビル・クリントンだ！」。たちまち、第42代米国大統領は民衆に囲まれて大歓迎を受ける。空爆を主導した男が、満足げに鷹揚に握手や写真撮影に応じる。世界でも最もアメリカを愛す国での歓迎に気持ちよさそうに応える。

空爆20周年祝賀式典

6月12日。いよいよ、空爆20周年祝賀式典本番の日である。15世紀にオスマントルコと闘ったアルバニアの民族的英雄、スカンデルベグの像の置かれた広場にステージが設けられた。そこにビル・クリントン元米国大統領とマデレーン・オルブライト元米国国務長官が登場する。各国記者団と群衆はそれを取り囲み、アルバニア国旗と星条旗を振って称える。

コソボ空爆20年を「祝賀」して、新たに建造されたマデリーン・オルブライト元国務長官の銅像。

多民族を表す6つの星と領土の形をモチーフにしたコソボ国旗ではなく、本来外国である二つの国の旗がひるがえるのだ。当然、マイノリティとしてコソボを構成しているセルビア人、トルコ人、ゴラン人、ボシュニャク人、ロマら、非アルバニア人の姿はここにはない。しかし、この日の報道で、その矛盾を指摘するメディアはいなかった。スピーチが終わると、クリントンとオルブライト、2人の主役はパレードに先導されて移動する。オルブライトの銅像が新たに作られた場所に向かい、除幕式のテープカットをするのだ。

先回りをすると、人、人、人、またも星条旗とアルバニア国旗が林立する。やがて、高級車に相乗りしたクリントンとオルブライトがやってきた。白布が剝がされ、20年前に空爆を主導した人物の銅像が仰々しく開示された。

取り囲んだ群衆からは、歓声と拍手がまき起こり、一斉に報道陣のシャッターが切られた。20年前、ベオグラードの中国大使館を意図的に〝誤爆〟し、非人道的なクラスター爆弾や劣化ウラン弾をセルビア全土に撃ち込んだNATO空爆を祝う式典は、この瞬間に完結した。

百歩譲ってアルバニア系メディアが祝うのは理解もできよう。しかし、外国のメディアが、イラク戦争よりも前に国連を迂回して行われた軍事介入と、その後のコソボにおける様々な不公正に何の疑

(上)世界各国の言葉で「(空爆を)ありがとう」と伝える幕が高層ビルに掛けられていた。(下)参列する人々が手に持つのは、コソボ国旗ではなく、アルバニア国旗とアメリカ国旗。

義も呈さないのは、明らかにおかしい。またも大きな矛盾を次世代に残すことになる。

　ユダヤ系チェコ人としてプラハに生まれ、ナチのホロコーストから逃れ、アメリカで教育を受けて国務長官にまで上り詰めたオルブライトは、栄光に満ちたテープカットを終えると感極まったようにこうスピーチした。「私もまた難民であった」と。アルバニア難民に寄り添う意図を示した名演説に一瞬、思われる。しかし、彼女は気が付かないふりをしている。あの空爆がまた無数の難民を生んだということを。

融和こそが勝利への近道

　式典を見届けると、サッカー協会に向かった。

　ヴォークリ亡きあとの後任、ＦＫコソバ出身のアジム・アデミ新会長に会うためだった。インタビューはもちろんだが、ヴォークリへの追悼の意も表しておきたかった。亡くなってから一年が経過していたが、アデミは悲しみを隠そうとしなかった。「今でもショックだ。フィットネスの最中の心臓発作だったのだが、私とは前日に食事をしていたのだ」

　コソボが強くなった要因について聞く。

「ロシアＷ杯への挑戦が不成功に終わった結果を見て分析した。ブニャーキは本当によくやってくれた。ただ初めての国家代表をまとめあげるのは、難しかった。新監督の売り込みはかなりきていたが、誰もコソボの置かれた状況を理解していない監督ばかりで断った。そしてこれもまたヴォークリの功績なのだが、彼が（新監督のベルナール・）シャランデスに白羽の矢を立てたのだ。シャランデスはスイスのクラブ、ローザンヌのスカウトをしていたのだが、あそこはバルカン出身の選手が多い。つまりシャランデスはスイス人であるが、監督になる前から、我々のメンタルを知っていたのだ。アルメニアで代表を率いた経験もある。そこに目をつけたヴォークリの慧眼にも恐れ入るのだが……」

ラシツァのブレイクについてはどう見ているのか？　あのクロアチア戦の後の無礼な質問にも彼がキレずに答えていたことを今でも覚えている。

「ラシツァは昔からストイックだったが、現在も試合については100%の準備をして出場している。それがまた若い他の選手に良い影響を与えている。コソボ代表を取り巻く環境の中で我々を勇気づけるデータがある。ヨーロッパのリーグには今、187人のコソボ出身の選手がプレーしている。私たちがデータベースを作った。毎年U-15のキャンプを行うのだが、それに30人を選ぶ。U-17からU-21の世代。ムスリーウ（ドイツ、ハノーバー）、シナーニ（ACミラン）、ラビノット・カバーシ（バルセロナ）、メリタン・シャバーニ（バイエルン）、彼らは2世、3世だが、皆、コソボパスポートを取得している」

プロパガンダではなく、真摯にサッカーに向き合ってコソボ代表を選んでいくようになれば、さらに強化されていくことだろう。

「もちろん、コソボはアルバニアではない。アルバニア人だけではなく多民族を貴ぶコソボだ」

オシムやヴォークリの意志を継いでいると明確に言い切った。町中では英雄クリントンの演説が終わり、パレードが始まっていた。混乱に乗じてイスラム国へのリクルーティングも続いている。5月12日にはハサン・レジャン・Bという31歳のコソボ出身のアルバニア人がISILへの志願兵をコソボで募った容疑で逮捕されている。

しかし、サッカー協会のこの寛容さは大きな希望になっている。

この後、9月7日、コソボはチェコをホームで2対1で下している。勝ち点8で3位である。

ヨービッチのことが気になって聞いた。「セルビア人の副会長は元気ですか？」

アデミの表情がとたんに土気色に変わった。

「ヨービッチがブルガリアの試合の前にスタジアムで倒れてしまったのだよ。低血圧で視力が落ちた。少数民族代表として来てくれた彼の存在は民族融和のためにも大きかった」

えっ、と声が出た。ヨービッチに見舞いをしたいと伝えるとアデミは連絡先を教えてくれた。

協会を辞すとさっそく電話をかけてみた。弱々しい声だが、懐かしい毅然とした口調が返ってきた。

「倒れたそうじゃないですか。体調は大丈夫でしょうか？」

「今娘とモンテネグロで療養している。快方に向かっているよ」

「今、コソボ協会にセルビア人としていることは、つらくないですか」

「つらい、なんてとんでもない！　この9年間、私たちは常に家族のように団結して仕事をしてきた。ここまで職員が深い絆で結ばれた協会など珍しい。ヨーロッパはもちろん、世界を見渡してもないだろう」

「クリントンとオルブライトの訪問はどう思いますか」

「それは政治の話だ。サッカーに携わる私には聞かないで欲しい」

「ブルガリア戦ではクロアチア戦のように追い出されるようなことはなかった？」

「とんでもない。倒れた私はすぐにブルガリアの医療センターへと搬送され、ブルガリア人の医師たちのおかげで命拾いをした。医師たちだけではない。こうして私が快方に向かい、今こうして君と話ができるのもコソボサッカー協会の同僚たち、ソフィアのコソボ大使館の人たち、それにサポーターグループ、ダルダンの仲間たちのお陰なのだ」

この言葉が素直に嬉しかった。3年前から、関係は改善されたようだった。

「セルビア人がコソボ協会に加盟する見通しはどうですか?」

「政治の影響さえなければすぐにでも解決される話だ。今後、セルビアとの関係正常化交渉が進展すれば、それに従ってこの問題も解決することだろう」

ヨービッチは前向きに生きてきた。見舞いの言葉を込めて電話を切った。

ユーロ2020予選。コロナ禍に苦しみながら、コソボ代表は3勝3敗2分で勝ち点11。最終的にグループAでブルガリアとモンテネグロを凌駕し、イングランド、チェコに次いで3位に入った。「融和こそが勝利への近道。ナショナリズムでは、チームの質は上がらない」というブニャーキの言葉を思い出した。

終章

火種を抱え続ける火薬庫

その後のコソボサッカーとコソボについて記す。

シャランデス監督は、コロナ禍に苦しみながらもユーロ2020予選においてコソボ代表をグループ3位に押し上げ、本大会出場のためのプレーオフに導いた。準決勝の対戦相手は奇しくも旧ユーゴスラビアをともに構成していた隣国の北マケドニアであった。試合は惜しくも1対2で敗戦を喫した。一方、勝ち進んだ北マケドニアは決勝でもジョージアを破ってついに欧州選手権への出場を決めた。W杯と並ぶビッグトーナメントへの切符を手にして、オシムが言った神話作り（ユーゴから分離独立した各共和国がすべて大きな大会に出場すること）には、あとはコソボとモンテネグロを残すのみとなった。

監督として大きな功績を上げたシャランデスに対しては、続投が要請され、W杯カタール大会に向けての指揮を引き続きとることになった。しかし、予選が始まると、強豪スペインやスウェーデンと席を同じくするグループBにおいて結果が出せず、1勝1分5敗とカタール行きが絶望となった時点、21年10月13日に潔く解任が決まった。ここでコソボ協会は暫定でスロベニア人のプリモズ・グリハを監督に起用して残りの試合を消化させると、年が変わった22年に満を持したように元フランス代表のアラン・ジレスにオファーを出した。ジレスと言えば、80年代、シャンパンサッカーと言われた華麗なフランス代表の中盤をプラティニ、ティガナと共に支え、ナポレオンと呼ばれたＭＦである。コソボ代表にとっては初めてとも言える華やかな経歴を持つ人材である。オファーを受託したジレスは、ガボン、マリ、セネガル、チュニジアの代表監督も歴任しており、ムスリムの選手との仕事においても経験豊富で期待がかかる。

そしてJリーグにもコソボ代表の選手がやって来た。21年にはベンジャミン・コロリがスイスのFCチューリッヒから清水エスパルスに入団したのである。

2022年12月、W杯カタール大会が幕を閉じた。「神話」に向けて旧ユーゴからはセルビアとクロアチアの2チームが出場した。クロアチアはモドリッチ以下、選手たちの献身的なハードワークで3位に入賞。一方、ストイコビッチ監督率いるセルビア代表は、ロシア大会に続いてまたしてもスイスとのカードが組まれていた。それ故、なのか、セルビアはコソボ問題についてのアピールを仕掛けた。11月24日、初戦のブラジルとの試合におけるロッカールームで、コソボを自国領土とする地図の上にキリル文字で「あきらめない」と記した旗を掲げたのである。コソボは魂の聖地であり、手放すのをあきらめないという意志はほとんどのセルビア人が持っていることであろう。しかし、W杯で行うべき行為ではなかった。領土問題における政治主張であるとして、FIFAは、2万スイスフラン（約290万円）の罰金をセルビアに科している。

4年前に挑発に耐えた先達たちの忍耐を無にする行為でもあった。

コソボサッカー協会からも、激しく抗議の声があがった。

「セルビアの憎悪、外国人嫌悪、大量虐殺のメッセージに対するFIFAからの具体的行動を期待している」と、ツイート。

「コソボを手放したくない」という民族の叫びは、このような形で安易に出せば、対立するコソボのアルバニア系の政治に利用される。過去にセルビアがコソボの自治権を剝奪し、虐殺を行った事実に転換されてしまう。セルビア人市民3000人が拉致され、殺されて、臓器密売の対象となっている事実は、セルビア悪者論の前に矮小化され、事件の解明からさらに隔たりを持ってしまうのだ。

12月3日に行われた因縁のスイスとの対決は、開始20分にまたもシャキリが先制ゴールを決めたが、「鷲のポーズ」は出なかった（試合は3対2でスイスが勝利）。しかし、ピッチの外から、攻撃がきた。セルビアがゴールを決めた際に監督のストイコビッチの口の動きが差別的な発言をしていたと、コソボのストゥブラ外務大臣が主張、それを示す映像をツイッターにアップした。「酷い言葉がカメラに収められている。ＦＩＦＡの対応を待っている」と記した。

このニュースが流れてきたときの後味の悪さは忘れられない。バルカン半島では、スラングが当たり前のように飛び交い、サポーターも応援チャントにも入れこむ。セルビア代表には「ウビ・ツィガネ（ジプシー野郎を殺せ！）」、クロアチア代表には「ウビ・ウスタンシャ（ナチ野郎を殺せ！）」等々が浴びせられる。もちろん、褒められたことではない。しかし、声を上げて懲罰を煽ったのが、現場にいた当該対戦国のスイスのサッカー関係者ではなく、映像を凝視したコソボの外相ということが、すでに「政治的」な介入ではないだろうか。

コソボの政局は19年10月6日の総選挙でアルバニア本国との合併を公約に掲げる政党・自己決定運動党が勝利し、ついに第一党となった。イメリのあとに同党の代表となったアルビン・クルティが首相に就任したのだが、このクルティが、なかなか評判がよろしくない。彼はセルビア人エンクレイブである北ミトロビッツァにおける車両のナンバープレート問題（セルビア本国ナンバーを使用する住民にコソボナンバーに付け替えを求める）などで強硬な姿勢を見せる一方、家族をノルウェーのオスロに住まわせており、「あいつは愛国者を気取っているが、いざとなればコソボから、北欧に逃げ出す気だろう」と見ているアルバニア民衆も少なくない。

表向き、タチやハラディナイよりも極右と言われるクルティを米国が果たしてどう見るか。クルティはコソボのNATO加盟を強調し、ストルテンベルグ事務総長も、また緊張が高まればコソボのNATO軍を増強する考えを示した。ロシアを強く刺激する発言である。ちなみに22年、クルティは9月22日の安倍晋三国葬に出席するために来日している。日本政府はコソボ政府を承認しており、過去にタチが安倍総理と会談を行っている。

コソボは22年12月15日にEUへの加盟を申請。しかし、自己決定運動党が政権与党である限り、加盟は厳しいと思われる。何となれば、東西冷戦が終結したときに、「ウティ・ポッシデティス（uti possidetis）」（現状承認）の原則が掲げられ、米国やヨーロッパも認めている。これは、「旧植民地が宗主国などから独立した時などには、旧境界線を尊重し、そのまま国境とみなす」とするものである。この原則を顧みれば、そもそも自己決定運動党が主張し続けるコソボとアルバニアの合併（国境の変更）は、EUが認めようのない荒唐無稽な主張である。しかし、コソボの圧倒的多数派は自己決定運動党を支持している。この熱狂の先行きはどうなるのか、予想もつかない。

あとがき　コソボとウクライナ

ＮＡＴＯ空爆20周年祝賀式典の会場を取材しながら、「違うだろう」という憤怒が何度も脳裏をかけめぐった。いらだちが大きなストレスとなって、目と背中に鈍痛となってきた。へたりこみそうになりながら、ビル・クリントンとマデレーン・オルブライトのパレードを追った。何度も書く。祝っているのは、コソボの独立ではない。国連安全保障理事会の決議も経ず、ＮＡＴＯの領域外へ戦闘機を飛ばし、民間人を殺し、中国大使館を破壊し、劣化ウラン弾やクラスター爆弾を撃ち込んだ軍事行動なのだ。しかし、祝賀式典に対して「違うだろう」という思いを共有できるマスメディアの記事には、その後もほとんど出逢わずに今に至る。

ミロシェビッチ政権によるコソボのアルバニア人に対する人道破綻は確かにあった。しかし、本来、同盟国が攻められたときにのみ武力を発動する安全保障だったＮＡＴＯの軍隊が、その域を超えて主権国家の領空を侵犯し、空爆を敢行する大義があったのかどうか。そもそもコソボ独立のプロセスは正当なものであったのか。ミロシェビッチがコソボから自治権を剝奪した後、彼の地に暮らすアルバニア人たちは、一方的に独立を宣言（１９９１年）したが、これを承認する国はなかった。根拠は終章にも書いたウティ・ポッシデティスという国際法にある。植民地や連邦構成地域が、宗主国や旧連邦からの独立をする場合の条件は、「共和国であることであり、国境を変化させない」というこの原則を米国もロシア（ソ連）も認めていた。ならばこそ、ソ連の崩壊、チェコ・スロバキアの分離、ユーゴスラビアの解体もこの原則に基づいていた。しかしコソボはクロアチアやボスニアと異なり、共和国ではなく、自治州なので条件を満たしていない。ところが、この地に米軍基地を欲した米国がこれを破り、ＫＬＡを使って世界一の親米政権を擁立した。ロシアの激怒は容易に想像がつく。

空爆（１９９９）とコソボ独立（２００８）支援の後に、ロシアのＮＡＴＯに対する不信と警戒は急激に高まり、挑発に応じるかのように対立を深めていった。コソボ独立後のロシアの動きを追うと近隣国のジョージアとウクライナのＮＡＴＯ加盟を異常なまでに拒否する強硬な姿勢が見える。コソボ独立から2カ月後の２００８年8月にジョージア共和国内にある南オセチア自治州が独立を求めたことで紛争が起きると、ロシアは南オセチア自治州内のロシア人の保護を理由にジョージアに向けて軍事介入、呼応する形で同様にジョージアからの独立を目指す北西部のアブハジアも参戦した。戦争終結後、ロシアは南オセチアとアブハジアを親ロ国として独立承認し、ロシア軍を撤退させず、そのまま駐留させた。コソボで米国がやったことの相似形と言えないだろうか。実際、これをコソボに対するロシアの意趣返しという学者もいる。私は２０１６年にアブハジア共和国（日本は未承認）に取材に入ったが、ほとんどすべてのアブハジア市民がロシア軍の介入を歓迎し、ロシアパスポートを保持していた。まさに「ロシアのようにアブハジアを愛せ」というスローガンを見る思いだった。

２０１４年にロシアによるウクライナ内のクリミア自治共和国併合が起き、続いてウクライナの東部ドンバス地方の分離主義者がロシアの後ろ盾で動き出した。そして２０２２年2月21日ロシアはドンバスのドネツク人民共和国とルガンスク人民共和国を一方的に国家承認し、2月24日にこの二国の集団的自衛権を大義名分に、ウクライナに侵攻した。

プーチンの行ったことは許されざる侵略戦争であり、国際法を無視した暴走である。しかし、この暴走とその要因の一部であろうＮＡＴＯに対する猜疑がどこから始まったのか。それはやはり1999年の空爆とその後のコソボの検証で知ることができる。


第1章に登場する映画監督エミール・クストリッツァには、2005年にモンテネグロでインタビューする機会があった。ちょうどディエゴ・マラドーナのドキュメンタリーを撮っている最中であったが、その時、彼は予見するかのようにこう言っていた。「米軍の軍事介入は、平和解決どころか、コソボの人道破綻の被害者がもう一方に移っただけだ。コソボの悲劇は世界の破滅につながる。アメリカは世界の覇権を握るためにコソボを利用した。アメリカはアルバニア人の人権擁護を叫んだが、一方で同盟国であるトルコ政府がクルド人に対して行っている弾圧を許している。ギルティー・コンシャス、罪深いことを意識してやっている。米軍がどこにいるか、どれだけいるか。それを考えると昔のローマ帝国を想起せずにはいられない」。プーチンの支持を公言するクストリッツァには根底にこの米軍不信がある。クストリッツァは、この時、『ベルリン・天使の詩』の脚本家、ペーター・ハントケを高く評価していると語っていた。

「ハントケは最もラジカルでクレージーな形で人間を定義する今世紀最大の作家だ。ノーベル文学賞にも値する作家なのだが、受賞の障害になっているのが、彼の言説がセルビア人サイドに立っていると思われていることだ。ただ、彼が怒りを持って立脚しているのは世界で行われている不正義に対しての地点であって、セルビア人の側に立っているわけでは決してないのだ」

スーザン・ソンタグも大江健三郎も99年のNATO空爆を容認する中（ギュンター・グラスも当初、空爆に賛成していたが、晩年に撤回している）、ハントケは、世界の文学者で唯一、明確に反対を表明していた。クストリッツァの懸念に反してハントケは2019年にノーベル文学賞を受賞した。ただ、案の定、バッシングは巻き起こった。

スウェーデン・アカデミーによるノーベル賞発表の直後から、多くの欧米メディアが、「ジェノサイドを肯定する人物に受賞させるのか」と批判をしはじめた。悪質なのは、ハントケがジェノサイドを肯定したというような思い込み、あるいはデマに基づくバッシング扇動であったことだ。スウェーデン・アカデミーはこの事態を問題視して、異例の対応を行った。10月17日にマルムとルネッセンという二人の委員が、スウェーデンの新聞に寄稿したのである。

「ハントケはスレブレニツァの虐殺を否定したりはしていない。ハントケが虐殺を賛美した証拠はない」「われわれは彼の作品のなかに、市民社会を攻撃したり、すべての人が対等で尊重されるべきであることを疑問視するようなものは何も見出さなかった」

マルムとルネッセンは参考資料として2006年の南ドイツ新聞の記事を挙げている。ハントケはその中で「スレブレニツァの虐殺は、戦後ヨーロッパが犯した人類に対する最悪の犯罪である」としっかりと書いているのである。ことほど左様に99年のNATO空爆に反対することは、ヨーロッパ文学界においても攻撃を受けることを意味する。

話をコソボの現場に戻そう。本書のタイトルに「コソボ　苦闘する……」と記した。文字通り、コソボの全ての人々が未来に向けて苦闘していると感じたからである。独立のプロセスについては上記のように疑義があり、だからこそ、そこに暮らす人たちは、その矛盾の中で一層の忍苦を強いられている。アルバニア人たちは、いまだ国連に加盟できないことにいら立ちを隠せない。セルビア人たちは、このまま存在を否定されたまま聖地が滅ぼされてしまうのではないかという不安に支配されている。他の少数民族たちは、自分たちは、アルバニアとセルビアの視点しかないこの国でアイデンティティーを保持していけるだろうかと苦しんでいる。アルバニア本国との合併を望んでいる多数派のアルバニア人がいる。独立さえ認められないセルビア人がいる。

そんな中でコソボサッカー協会は、毅然と多民族国家としての舵取りを始めていた。故ヴォークリの遺志を見守っていきたいと思う。すなわち6つの星に象徴されるすべての民族の参加するコソボ代表の勇躍である。ただ、コソボ国籍を取得しないエンクレイブのセルビア人を一方的に「民族融和を拒む固陋な右派」、「ベオグラード政府の洗脳を受けた傀儡」と蔑む人がいるが、これには到底、賛同できない。彼らにしてもセルビアパスポートのままコソボで生きていくことの辛さは誰よりもわかっている。それでもセルビア国籍にこだわるのは、こんな暴力的な分離独立が許されて良いのかという慚愧の念である。

私は朝鮮籍の在日コリアンの人たちへの「なぜ、韓国籍や日本国籍を取らないのか？」という問いに対する答えに似ていると考えている。朝鮮籍は無国籍であるから、利便性を考えれば韓国や日本のパスポートを取った方が生きやすいことは論をまたない。しかし、米ソの介入でなされた祖国の南北分断を認めたくない、歴史の清算をうやむやにして欲しくないという思想のもとで頑として変えない人たちがいる。コソボでセルビア国籍にこだわるセルビア人、日本で朝鮮籍にこだわる在日コリアン、共生のためにはそれらに対する想像力を我々はまず持つことが大切であろう。

一方、いかに大国の武力による線引きであっても、もたらされた独立をアルバニア人が歓迎し、自治を享受するのは当然である。その意味で両者に引き戻りがたい分断が空爆によって誘起されたとも言える。

コソボに最初に取材に入ったのが1998年、W杯フランス大会が行われていた6月である。プリシュティナのプレスセンターで日本対アルゼンチンの試合を見た。あれから24年、追い続けてきた。本書は、空爆前のコソボの現状と、祖国への攻撃に「NATO STOP STRIKES（NATOは空爆を止めよ）」とTシャツに記す抗議に至ったストイコビッチの葛藤を描いた『悪者見参』、黄色い家に連なっていく拉致問題を追った『終わらぬ民族浄化』（ペーター・ハントケとの対話を収録）に続く連作とも言える。未読の方にはぜひ、前二作もまたご高覧頂きたい。

2章のデル・ポンテの翻訳については実川元子さん、岩本紀子さんに御協力をいただき、執筆にあたっては『オシムの言葉』以来の盟友、髙田功さんにお世話になった。心より感謝申し上げる。また、慶應義塾大学の廣瀬陽子教授の論考からは、あらためて大きな学びを得ることができた。

本書をオシムとヴォークリ、そしてコソボに暮らすすべての民族の友人たちに捧げる。

２０２２年12月　木村元彦

【バルカン半島とコソボ　年表】

1945
ユーゴスラビア連邦人民共和国建国。

1953
チトーがユーゴスラビア連邦人民共和国の大統領に就任（1980年まで）。

1963
ユーゴスラビア社会主義連邦共和国に改称。クロアチア、スロベニア、セルビア、ボスニア＝ヘルツェゴビナ、マケドニア、モンテネグロの6共和国とセルビア内のボイボディナ自治州、コソボ・メトヒヤ自治州で構成。

1964
民族分権化政策により、コソボ・メトヒヤ自治州はコソボ自治州に改称。

1974
ユーゴ連邦の憲法改正により、コソボ自治州はコソボ社会主義自治州に改組。改正憲法により6共和国と2自治州は同等の立場になる。

1980
チトー大統領死去。

1989
セルビア大統領のスロボダン・ミロシェビッチは、コソボ、ボイボディナの社会主義自治州の自治権を大幅に減らし、コソボは、コソボ・メトヒヤ自治州に逆戻り改称。

1990
大多数のアルバニア人はこれに反発してコソボの独立を宣言。未承認国家のままセルビアの政治と並行して存在した。

1991
スロベニア、マケドニアが相次いで独立。その後、クロアチアがセルビアと激しい戦闘のうえ、独立。

１９９２
ボスニア・ヘルツェゴビナ独立。ボスニア紛争勃発（１９９５年まで）。

１９９８
ＫＬＡ（コソボ解放軍）とセルビア治安部隊の衝突が激化。コソボ紛争が起きる。
ビリィビリィ・ソコリがＦＩＦＡ未加盟のコソボ代表監督として活動。

１９９９
３月　ＮＡＴＯによるコソボを含むユーゴ全土への空爆開始。
６月　空爆停止。セルビア治安部隊がコソボから撤退開始。
国連コソボ暫定統治機構（ＵＮＭＩＫ）設置。コソボ治安維持部隊（ＫＦＯＲ）が駐留開始。

２００３
ユーゴスラビア連邦共和国が解体され、「セルビア・モンテネグロ」が誕生。

２００６
モンテネグロ独立。

２００８
２月17日　ＥＵとアメリカの支持のもと、コソボ自治州がセルビアからの独立を宣言。
旧ユーゴスラビア国際戦犯法廷（ＩＣＴＹ）の国連検事、カルラ・デル・ポンテが著書を出版。ＫＬＡ（コソボ解放軍）がセルビア人約３０００人を拉致、殺害し、臓器密売をしている実態を告発。

２０１６
国際サッカー連盟（ＦＩＦＡ）、コソボの加盟を承認。

２０１９
６月10日　コソボ代表、欧州選手権予選ブルガリア戦で、公式戦初勝利。
６月12日　ＮＡＴＯによる空爆20周年祝賀式典がプリシュティナで行われる。

木村元彦 KIMURA Yukihiko

ジャーナリスト。1962年愛知県生まれ。中央大学文学部卒業。アジア・東欧などの民族問題を中心に取材・執筆。『オシムの言葉』で2005年度第16回ミズノスポーツライター賞最優秀賞受賞。著書に『誇りドラガン・ストイコビッチの軌跡』『悪者見参　ユーゴスラビアサッカー戦記』『終わらぬ「民族浄化」セルビア・モンテネグロ』『オシムの言葉』『無冠、されど至強　東京朝鮮高校サッカー部と金明植の時代』など多数。

コソボ　苦闘する親米国家
ユーゴサッカー最後の代表チームと臓器密売の現場を追う

2023年1月31日　第1刷発行

著　者　木村元彦
発行者　岩瀬　朗
発行所　株式会社 集英社インターナショナル
〒101-0064 東京都千代田区神田猿楽町1-5-18
電話 03-5211-2632
発売所　株式会社 集英社
〒101-8050 東京都千代田区一ツ橋2-5-10
電話 03-3230-6080(読者係)
03-3230-6393(販売部・書店専用)
印刷所　大日本印刷株式会社
製本所　加藤製本株式会社

定価はカバーに表示してあります。

ISBN 978-4-7976-7420-0　C0095